Suiniwen

随你问

谁是最辛苦的鸟爸爸？
北极为什么没有企鹅？
鸳鸯是白头偕老的伴侣吗？
燕子捕捉昆虫的本领有多大？
谁是陆地上最大的动物？
藏羚羊找不到水时怎么办？
海豚为什么会救人？
乌龟为什么会长寿？
大王乌贼为什么好斗？
假如恐龙没有灭绝，现在的世界会怎样？

动物知识百问百答

APR 1 2 2012

朝华出版社

编者的话

　　自然界的千变万化吸引着每一个好奇的孩子，孩子们都是在疑问中长大的。在成长的过程中，有许许多多的"为什么"困扰着他们，他们对身边事物的感知能力已远远超出成年人的想像。

　　一张彩色的纸，一块漂亮的橡皮泥都能引起孩子们极大的兴趣，也能引起他们强烈的探索欲望。他们的问题有的会埋在心里，有的会向大人直接提出来。用浅显易懂的语言准确明了地回答孩子的问题，绝非是所有家长朋友都能做得到的。千万不要搪塞或应付孩子的疑问，因为这种好奇心足以引领孩子迈出成功的第一步；家长必须有意识地向孩子解释客观世界，但是这种解释必须是形象、生动、科学的。

　　为此，我们特别准备了这套《随你问》丛书，内容涉及人体、生活、动物、植物、自然、宇宙、军事、科技等篇，详实地阐述了各个方面的相关科学知识，同时还设置了丰富多样的小栏目介绍相关的知识信息。孩子们在这里可以了解奇妙的大千世界，解开心中的种种疑惑；可以在浏览精美插图的同时更直接更真切地认识事物的真实面貌。

　　在这里，

知识一箩筐。
要问？
随你问！

目录

生命是从什么时候开始的 / 2

鸽子为什么能找回家 / 4

为什么说企鹅爸爸最辛苦 / 6

北极为什么没有企鹅 / 8

为什么说鹤是鸟类"爱情"的典范 / 10

为什么高飞的老鹰能抓住地上的猎物 / 12

宴席上的燕窝是谁造的 / 14

鹦鹉真的会说话吗 / 16

公鸡为什么在黎明时啼叫 / 18

为什么鸭子会游泳、小鸡却不会 / 20

孔雀为什么开屏 / 22

鸳鸯是"白头偕老"的伴侣吗 / 24

燕子捕捉昆虫的本领有多大 / 26

世界上迁徙距离最远的是什么鸟 / 28

大雁为什么排成"一"字或"人"字飞行 / 30

鸟的嘴为什么长得形态各异 / 32

谁是陆地上最大的动物 / 34

大象为什么有一个长长的鼻子 / 36

长颈鹿为什么有长长的脖子 / 38

老虎为什么被称为"百兽之王" / 40

狮子家族的命运怎样 / 42

豹为什么是陆地上奔跑最快的动物 / 44

大熊猫是如何给自己治病的 / 46

牦牛为什么被称为"高原之舟" / 48

狗是怎样成为人的伙伴的 / 50

动物知识一箩筐。

藏羚羊找不到水时怎么办 / 52

骆驼为什么被称为"沙漠之舟" / 54

犀牛的角有什么用 / 56

斑马身上为什么长着条纹 / 58

马为什么要挂掌 / 60

河马与马有关吗 / 62

黑熊喜欢吃什么 / 64

麋鹿为什么又叫"四不像" / 66

小松鼠为什么有一条大尾巴 / 68

兔子的耳朵为什么那么长 / 70

与人类最相近的是什么动物 / 72

山魈是什么 / 74

为什么要消灭老鼠 / 76

什么动物靠吃蚂蚁为生 / 78

猪为什么总爱用鼻子乱拱 / 80

黄鼠狼是害兽还是益兽 / 82

有袋动物有哪些 / 84

北极熊是如何适应寒冷的极地生活的 / 86

哪种牛被称为"睡觉大王" / 88

动物中也有混血儿吗 / 90

马的脸为什么那么长 / 92

猫从高处摔下来为什么摔不死 / 94

小猫为什么讲卫生 / 96

"一丘之貉"的貉是什么动物 / 98

小蝌蚪的尾巴哪去了 / 100

为什么说青蛙是人类的好朋友 / 102

要问？随你问……

癞蛤蟆身上有毒吗 / 104

蜗牛为什么要背着房子走 / 106

世界上最长的是什么蛇 / 108

为什么蛇不吃不喝也能活很长时间 / 110

鳄鱼的嘴边为什么有小鸟 / 112

鱼为什么离不开水 / 114

珊瑚是动物还是植物 / 116

海洋中最大的动物是什么 / 118

为什么说鲸不是鱼 / 120

中华鲟住在什么地方 / 122

哪些动物像鱼而不是鱼 / 124

怎样分辨鱼的年龄 / 126

章鱼和鱿鱼有什么区别 / 128

大王乌贼为什么好斗 / 130

海豚为什么会救人 / 132

小鱼能吃掉大鱼吗 / 134

金鱼是从哪里来的 / 136

海洋黑暗的底部还有鱼吗 / 138

海马是鱼吗 / 140

罗非鱼是怎样繁殖后代的 / 142

海鱼的肉为什么不咸 / 144

为什么买不到活的海鱼 / 146

河里结冰, 鱼为什么冻不死 / 148

海牛和儒艮有什么区别 / 150

哪种动物夏眠 / 152

动 物 知识一箩筐。

螃蟹为什么横行 / 154

乌龟为什么长寿 / 156

什么动物在遇到危险时能抛出内脏避害 / 158

从后边去抓蜻蜓时,它为什么突然飞了 / 160

蜜蜂是怎样找回巢穴的 / 162

蜘蛛有什么用处 / 164

为什么说蚯蚓是土地的耕耘者 / 166

蚕为什么只爱吃桑叶 / 168

跳蚤为什么能传播疾病 / 170

为什么说黑龙江是大马哈鱼的故乡 / 172

毒蝎幼仔吃母蝎子吗 / 174

蝴蝶的翅膀上为什么长有鳞粉 / 176

为什么说苍蝇是害虫 / 178

所有的蚊子都咬人吗 / 180

小蚂蚁为什么会排队 / 182

蝗虫为什么会成灾 / 184

"花大姐"是益虫还是害虫 / 186

恐龙为什么消失了 / 188

假如恐龙没有灭绝,现在的世界会怎样 / 190

恐龙是什么动物 / 192

恐龙有多大 / 194

传说中的龙是什么动物 / 196

动物奇异的舌头有什么用 / 198

动物之间存在友谊吗 / 200

要问? 随你问……

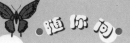

shēng mìng shì cóng shén me shí hou kāi shǐ de
生命是从什么时候开始的

随心所问

tiān shang fēi de　　dì shang pǎo de　　hǎi li yóu de　　zhí wù　dòng wù　wēi shēng
天上飞的，地上跑的，海里游的；植物、动物、微生

wù　　　　shēng jī bó bó de dà zì rán　　dào chù dōu cún zài zhe qiān zī bǎi tài de
物——生机勃勃的大自然，到处都存在着千姿百态的

shēng mìng　nà me　　shēng mìng shì cóng nǎ li lái de ne　yòu shì cóng shén me shí hou
生命。那么，生命是从哪里来的呢?又是从什么时候

kāi shǐ de ne
开始的呢?

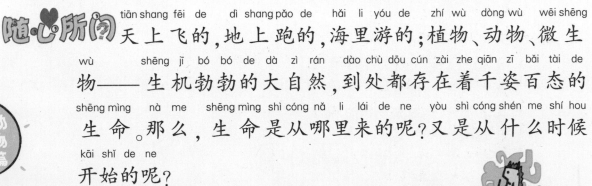

精心作答

gēn jù huà shí kǎo gǔ de jié guǒ tuī cè   dì qiú
根据化石考古的结果推测，地球

shang de shēng mìng dà yuē dàn shēng yú   yì nián qián   kē
上的生命大约诞生于35亿年前。科

xué jiā rèn wéi   zuì zǎo de shēng wù kě néng lèi sì xì jūn
学家认为，最早的生物可能类似细菌，

tā men shēng huó zài shuǐ xià chì rè ér ní nìng de dì fang
它们生活在水下炽热而泥泞的地方。

rè yuán lái zì pēn fā de huǒ shān hái yǒu yì zhǒng shuō fǎ
热源来自喷发的火山。还有一种说法

rèn wéi   shēng mìng shì suí zhe jǐ shí yì nián qián zhuì luò dào
认为，生命是随着几十亿年前坠落到

dì qiú shang de yǔn shí lái dào dì qiú shang de
地球上的陨石来到地球上的。

生命的基础是蛋白质，而核酸是复制蛋白质的精灵。脱氧核糖核酸携带个体特殊的遗传物质，它将自己特殊的生命信息传给核糖核酸，由核糖核酸运用各种氨基酸造出相应的蛋白质，生命的奥秘就在核酸。

大千世界

自从有了动物，地球开始变得活力四射。100多万种以上的动物给人类的生活带来了便利，它们是人类的朋友。认识、了解、爱护各种动物是人类的责任。

鸽子为什么能找回家

gē zi wèi shén me néng zhǎo huí jiā

随心所问 鸽子是人类的好朋友，它们是和平的象征。很早以前，人们发现放飞很远的鸽子千里迢迢也能找回家；于是，相处异地的人们开始用鸽子传递信息。那么，鸽子为什么能找回家呢？

动物篇

精心作答

原来，地球存在着一个强大的磁场，每只鸽子的头部都有一小块磁石，它们可以凭借磁力辨别方向。每次放飞的鸽子，它们都要在驻地上空盘旋一阵，以确定方位，记住以后就不会忘掉了。所以，即使是阴天、雾天，鸽子也不会迷失方向，能一直飞回家。

大千世界

最先驯养鸽子的是中东人。1150年，巴格达建立了鸽子邮政服务机构。20世纪50年代的英国，曾经有人打算利用鸽子做施放生化武器的工具。他们可能忘记了，洁白的鸽子长着一双天使般的翅膀，口衔橄榄枝，是人类和平的象征。

知识链接

法国建有一座鸽子纪念碑，这是人们为感谢鸽子的救命之恩而建的。1942年，法国一艘商船在海上遇难，由于中断了各种通信，人们一筹莫展。幸好一名船员所养的鸽子将遇难信息带了出去，船上的人得救了。

为什么说企鹅爸爸最辛苦

随心所问 企鹅是群居动物，这有利于防风保暖。企鹅还有归巢的本领，每当繁殖期临近，数千万只企鹅在南极漫长的黑夜降临之前日夜兼程赶往栖息地。在企鹅繁殖时，最辛苦的是企鹅爸爸，为什么这样说呢？

精心作答

当企鹅妈妈把蛋生下以后，企鹅爸爸就将蛋放在自己的脚背上，用肚子下的羽毛把蛋遮住，在冰上一站就是两个多月，也不吃东西；有时气温降到-50℃，它们就靠站在一起的伙伴的体温取暖。等小企鹅出世时，企鹅爸爸已骨瘦如柴了。企鹅爸爸真是最辛苦的鸟爸爸呀！

大开眼界

企鹅有群集的习性，这有利于共同抵御寒风。企鹅的脚长在身体的后部，因此可以直立行走。遇到危险时便俯身用足和鳍脚推撑冰地，以30千米/小时的速度飞跑。

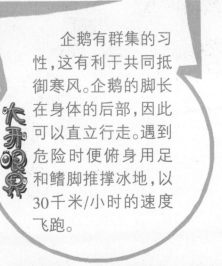

知识宝库

到访南极的人曾发现，当飞机经过时，企鹅都抬头观望，但不会转身；当飞机慢慢经过它们头顶时，它们尽量后仰，以便观看，最后纷纷仰面摔倒，憨态可掬，令人捧腹。

北极为什么没有企鹅

动物篇

我们都知道，南北两极是地球上最冷的地方，那里常年覆盖着冰雪。可爱的企鹅生活在南极，世界上现存的18种企鹅全部生活在南半球。同样是寒冷的生活环境，北极为什么没有企鹅呢？

北极也曾经生存过一种企鹅，人称"北极大企鹅"。它们身长0.6米，背部羽毛呈黑色，很像穿着晚礼服的绅士，数量曾达几百万只。但1,000年前，海盗开始进入极地猎杀企鹅。到16世纪，到北极来的人越来越多，北极大企鹅又遭到探险家、航海者和当地居民的大肆屠杀，最终彻底灭绝了。

大千世界

南极的阿德里雄企鹅在求爱时，往往去邻居家偷一块卵石放到"心上人"——雌企鹅的脚下，然后退在一旁静候佳音，得到雌企鹅的认可后，就双双去背风的地方入洞房，生儿育女。

知识链接

企鹅有浓密的羽毛、厚厚的脂肪抵御严寒。它们的翅膀成了陆上行走的平衡器、水中游泳的推进器。有时企鹅为了逃避海豹的追杀，甚至可以跃出水面2米高，跳到安全的厚冰上。

为什么说鹤是鸟类"爱情"的典范

丹顶鹤是我国的珍稀动物,它有着美丽的外形:长长的脖颈,细而长的腿,头顶红冠,身披白羽。它不仅性情高雅、行动潇洒,还是鸟类忠于"爱情"的典范呢!那么,为什么会这样说呢?

精心作答

dān dǐng hè shì xī yǒu de qín lèi　měi nián suí
丹顶鹤是稀有的禽类，每年随
jì jié biàn huà yǒu guī lǜ de nán qiān běi xǐ　dāng xióng
季节变化有规律地南迁北徙。当雄
hè qiú ǒu shí　biàn yǐn jǐng zhèn chì gāo chàng　cí hè zé
鹤求偶时，便引颈振翅高唱，雌鹤则
piān piān qǐ wǔ　fā chū xiǎng liàng de jiào shēng huí yìng
翩翩起舞，发出响亮的叫声回应。
yí dàn hūn pèi chéng gōng　zé xióng cí zhōng shēng xiāng
一旦婚配成功，则雄雌终生相
bàn　bái tóu xié lǎo　rú guǒ yì fāng zāo yù bú xìng
伴，白头偕老。如果一方遭遇不幸，
lìng yì fāng zé huì bù chī bù hē　shèn zhì xùn qíng　shì
另一方则会不吃不喝，甚至殉情，是
niǎo lèi　ài qíng　de diǎn fàn
鸟类"爱情"的典范。

大千世界

在南北美洲，有一种褐色的鹈鹕。它们在空中注视着水面，一旦发现鱼群，便从空中一头扎下去，张着巨喙，一下子就能捕到好几条鱼。鹈鹕喙的容量是肚子容量的3倍！

知识链接

丹顶鹤习惯在浅水中觅食。感到冷了便缩起脖子，或将头埋在翅膀底下。为了减少热量消耗，它们常常一条腿翘起，一条腿站在水中。

wèi shén me gāo fēi de lǎo yīng néng zhuā zhù
为什么高飞的老鹰能抓住
dì shang de liè wù
地上的猎物

随心所问

lǎo yīng zài qiān mǐ gāo kōng zhōng pán xuán，néng gòu kàn qīng dì miàn shang bēn pǎo
老鹰在千米高空中盘旋，能够看清地面上奔跑

de tián shǔ、pá xíng de shé huò zhě shuǐ zhōng de yóu yú，dāng què dìng le bǔ zhuō mù
的田鼠、爬行的蛇或者水中的游鱼，当确定了捕捉目

biāo hòu，néng yǐ měi miǎo jìn bǎi mǐ de sù dù fǔ chōng xià lái zhuō zhù liè wù。nà
标后，能以每秒近百米的速度俯冲下来捉住猎物。那

me，lǎo yīng wèi shén me yǒu zhè me gāo de běn lǐng ne
么，老鹰为什么有这么高的本领呢？

动物篇

精心作答

zhè shì yīn wèi lǎo yīng zhǎng le yì shuāng yǒu tè
这是因为老鹰长了一双有特

shū gòu zào de shén yǎn tā yǎn jing de shì wǎng
殊构造的"神眼"。它眼睛的视网

mó shang shēng yǒu liǎng ge zhōng yāng āo bǐ rén yǎn hái
膜上生有两个中央凹,比人眼还

duō yí ge nèi zhōng kàn dōng xi de xì bāo yě bǐ
多一个,内中看东西的细胞也比

rén yǎn duō liù qī bèi suǒ yǐ lǎo yīng bǐ rèn hé dòng
人眼多六七倍。所以老鹰比任何动

wù kàn de dōu yuǎn dōu qīng chu jí shǐ yíng zhe yáng
物看得都远、都清楚,即使迎着阳

guāng huò yù dào hùn zhuó de kōng qì yě zhào yàng néng
光或遇到混浊的空气,也照样能

biàn qīng dì miàn shang de xiǎo dòng wù
辨清地面上的小动物。

你知道吗

鹰的配偶终生相随。雄雌鹰每年都返回同一个巢洞生活,从不改变。由于鹰的雄悍,许多地方把它作为国家和民族精神的象征,像摩尔多瓦、赞比亚、奥地利、阿尔巴尼亚、墨西哥等国的国徽上都有鹰的形象。

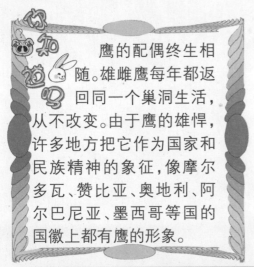

知识链接

猫头鹰凭借耳朵对声波敏锐的洞察,能准确判断猎物的位置。它的翅膀边缘有一层缨状羽毛,掩盖了它飞行时拍打翅膀的声音,加上灵活的头颈、尖锐的爪子,使它平均每天都能捉到一只田鼠。猫头鹰真是人类的好朋友。

宴席上的燕窝是谁造的

随心所问 每到春天,家燕都要衔泥做窝,用来生蛋、孵化小燕子;宴席上也常会出现极富营养的燕窝。燕子的窝是泥做的,根本不能吃,那人们吃的燕窝又是怎么来的?是谁造的呢?

精心作答

人们吃的燕窝是一种叫做金丝燕的小鸟造的。小巧的金丝燕生活在海边，吃海藻、小鱼、小虾。它在海边陡峭的岩石上吐出自己的唾液做窝。这种窝在空气中凝结成雪白的银丝窝，也就是"燕窝"。人们把它从峭壁上采下来，摆上了餐桌。燕窝的营养价值极高，是珍贵的补品。

奇思妙想

至今为止，人们发现的最大的鸟巢是一只白头鹰筑的，有2.8米宽，6米高。鸟还会将自己的羽毛做成巢垫，既保温，又防潮。长尾山雀能在自己的巢里摆放上数百根羽毛。

金丝燕的窝被人采走以后，为了繁殖后代，它只好再造一个窝。第二次造窝吐出的唾液已经含有血丝了，采到这样的燕窝称为"血燕"。人们应该爱惜金丝燕，别使它失去生育后代的巢穴。

鹦鹉真的会说话吗
yīng wǔ zhēn de huì shuō huà ma

随心所问 1980年,一个英国农民捉到一只鹦鹉,这只鹦鹉很奇特,它的嘴里反复念叨着一组6位数字。新主人感到很奇怪,试着按这组数字拨通了电话,居然找到了鹦鹉原来的主人。那么,鹦鹉真的会说话吗?

精心作答

yīng wǔ de shé tou xì cháng róu ruǎn líng huó
鹦鹉的舌头细长、柔软、灵活，

shé gēn hé shēng dài hěn fā dá néng gòu fā chū zhǔn què
舌根和声带很发达，能够发出准确

qīng xī de yīn diào jiā shàng tā men yǒu jiào qiáng de jì
清晰的音调，加上它们有较强的记

yì lì zhǐ yào jīng guò xùn liàn jiù néng xué rén shuō huà
忆力，只要经过训练，就能学人说话

hé gē chàng tōng guò xùn liàn yǒu de yīng wǔ hái néng biàn
和歌唱。通过训练，有的鹦鹉还能辨

bié yán sè qū bié ge shù mù zì biàn rèn wù tǐ
别颜色、区别7~8个数目字、辨认物体

de xíng zhuàng shèn zhì huì bèi sòng duō ge yīng yǔ
的形状，甚至会背诵1,000多个英语

dān cí shuō jiǎn dān de jù zi ne
单词、说简单的句子呢！

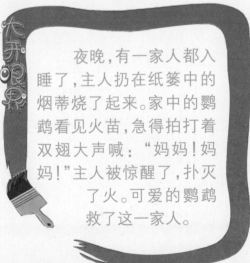

夜晚，有一家人都入睡了，主人扔在纸篓中的烟蒂烧了起来。家中的鹦鹉看见火苗，急得拍打着双翅大声喊："妈妈！妈妈！"主人被惊醒了，扑灭了火。可爱的鹦鹉救了这一家人。

唐朝时有个富翁在家中遇害，地方官到他家去勘察，忽然听到笼中的鹦鹉叫着一个名字，地方官心生疑云。经过深入调查，凶手正是鹦鹉叫的那个人——富翁的邻居。

gōng jī wèi shén me zài lí míng shí tí jiào
公鸡为什么在黎明时啼叫

随心所问 dà gōng jī zhǎng zhe hóng hóng de guān zi　pī zhe yì shēn piào liang de yǔ máo
大公鸡长着红红的冠子，披着一身漂亮的羽毛，

tiān gāng gāng liàng　tā jiù　wō wō wō de tí jiào qǐ lái　hū huàn lí míng de
天刚刚亮，它就"喔、喔、喔"地啼叫起来，呼唤黎明的

dào lái　cuī cù zhe rén men zǎo zǎo qǐ lái gōng zuò　nà me　gōng jī wèi shén me huì zài
到来，催促着人们早早起来工作。那么，公鸡为什么会在

lí míng shí tí jiào ne
黎明时啼叫呢？

动物篇

精心作答

zài hēi yè zhōng gōng jī shén me yě kàn bú jiàn yú
在黑夜中，公鸡什么也看不见，于

shì biàn huì gǎn dào shí fēn bù ān zǒng dān xīn shòu dào qīn
是便会感到十分不安，总担心受到侵

hài ér dāng lí míng lái lín shí tā gǎn dào wēi xiǎn zhèng zhú
害。而当黎明来临时，它感到危险正逐

jiàn lí qù yīn ér qíng xù gāo áng biàn yǐn hàng gāo chàng
渐离去，因而情绪高昂，便引吭高唱。

jiǔ ér jiǔ zhī gōng jī néng zhǔn què zhǎng wò rì yè de biàn
久而久之，公鸡能准确掌握日夜的变

huà tiān yí liàng jiù jiào qǐ lái le gōng jī tí jiào hái yǒu
化，天一亮就叫起来了。公鸡啼叫还有

hū huàn tóng bàn hé mǔ jī de yòng yì ne
呼唤同伴和母鸡的用意呢。

大千世界

邢台有个小姑娘，精心喂养了一只鸡。她时常抱着鸡玩，还给它捉虫吃。一天夜里，这只鸡厉声叫了起来，大家怀疑是黄鼠狼来了，赶紧起床去看。一打开鸡窝，鸡就往外跑，家人和小姑娘一起去追。这时，地震发生了，小姑娘家房子塌了，人却幸免于难。

知识窗

家鸡的祖先是原鸡，生活在热带雨林中，我国的云南、广西、海南岛都有。近年由于栖息地被破坏，加上捕猎，原鸡数量锐减。原鸡是国家二类保护动物，应该加以珍惜保护。

为什么鸭子会游泳、小鸡却不会
wèi shén me yā zi huì yóu yǒng xiǎo jī què bú huì

随心所问 鸭子和鸡同为人类所饲养，房前屋后它们是好伙
yā zi hé jī tóng wéi rén lèi suǒ sì yǎng fáng qián wū hòu tā men shì hǎo huǒ

伴，它们一起玩耍，一起吃东西，但在水边它们必须分开
bàn tā men yì qǐ wán shuǎ yì qǐ chī dōng xi dàn zài shuǐ biān tā men bì xū fēn kāi

了。那么，为什么鸭子能下水游泳，小鸡却不可以呢？
le nà me wèi shén me yā zi néng xià shuǐ yóu yǒng xiǎo jī què bù kě yǐ ne

动物篇

精心作答

鸭子的祖先绿头鸭是水禽，小鸡的祖先原鸡生活在大森林中，鸡、鸭分属于不同的禽类。鸭子的羽毛又厚又密，上面布满了油脂，水浸不透；鸭脚带蹼，划起水来像船桨那么灵活。鸡的羽毛虽然也很多，却没有鸭毛的特点，脚上也没有蹼，掉到水里就成"落汤鸡"了，哪里还能游泳呢！

人们驯养了鸭子之后，为了获得更多的鸭蛋，就尽量不让它们孵蛋，以免缩短生蛋的时间。时间一长，鸭子就不会孵蛋了，小鸭子就只好由鸡妈妈代为孵出来了。

鸭子走路为什么总是摇摇摆摆的呢？原来，鸭子的身体前重后轻，走路时为了保持平衡，就得高高抬起头，挺起胸膛。为了便于在水中游泳，它的双脚又长得靠后。所以，鸭子走起来就一摇一摆了。

孔雀为什么开屏
kǒng què wèi shén me kāi píng

随心所问

zài gōng yuán li yǒu xǔ xǔ duō duō qín niǎo yǒu de míng jiào wǎn zhuǎn yǒu de
在公园里有许许多多禽鸟，有的鸣叫婉转，有的

zhǎng xiàng qí tè zhè qí zhōng zuì xī yǐn rén de yào shǔ kāi píng de kǒng què le kǒng què
长相奇特，这其中最吸引人的要数开屏的孔雀了。孔雀

zhāng kāi tā de wěi yǔ rú tóng yí dào xuàn lì de jǐn píng nà me kǒng què wèi shén me
张开它的尾羽，如同一道绚丽的锦屏。那么，孔雀为什么

huì kāi píng ne
会开屏呢？

动物篇

精心作答

其实只有雄性孔雀尾部才长漂亮的羽毛，也只有雄性孔雀才会开屏，以此来展示自己美丽的长尾。雄孔雀为了吸引雌孔雀，常常把尾羽高高竖起来，宽宽地展开，同时下垂两翅，来向雌孔雀求爱。这时雌孔雀就会轻盈地跳舞，选择尾羽最鲜艳的雄孔雀做伴侣。

大开眼界

世界级珍稀禽鸟——朱鹮，被称为"东方宝石"。它们生活在东亚，但在其他国家都已经绝迹，仅在我国秦岭还有少量生存。朱鹮为躲避天敌，通常将巢建在距地面5~10米的树上，5月产卵，雌雄鸟轮换孵蛋，共同哺育幼鸟。

知识拓展

清朝时，政府用孔雀尾羽配合褐马鸡尾羽制成"花翎"，用以区别官员级别。褐马鸡只生活在河北、山西等地的深山里，数量稀少，为我国所独有，是鲜为人知的珍禽。

鸳鸯是"白头偕老"的伴侣吗

鸳鸯是一种羽毛艳丽的鸭类水鸟，雄的叫鸳，雌的叫鸯。它们常常成双成对地在水中游来游去，人们把它们比做恩爱的伴侣，用它们象征婚姻的幸福。那么，鸳鸯真的是"白头偕老"的伴侣吗？

精心作答

事实上，鸳鸯之间并不恩爱。在整个繁衍后代的过程中，产蛋、抱窝、抚育幼鸟完全由雌鸳鸯独自承担，连孵化期雌鸳鸯也要自己外出觅食。小鸳鸯从出生到长大都见不到父亲。鸳鸯也不是从一而终、终生不再婚配的，它们可称不上是"白头偕老"的幸福伴侣。

世界上共有1,500多种鸭，包括鹄和雁。它们有迁徙的习性，湿地、芦塘是它们的栖息地。但是排水装置、水坝、喷洒了农药化肥的水田、工厂排放物、酸雨等都对它们造成了伤害，对它们的生存构成了威胁。

福建屏南县有一条鸳鸯溪，那里山青水碧；每年有数千只鸳鸯来此越冬，但近年数量趋减。目前鸳鸯鸟已极为稀少，需要人类的珍惜和保护。

燕子捕捉昆虫的本领有多大

随心所问 每到春季，可爱的小燕子就从南方飞到北方筑巢、产卵、孵化雏燕。为了喂养刚出生的孩子，燕子要不停地捕捉昆虫，我们常会看到它们不停地飞来飞去。那么，燕子捉虫的本领到底有多大呢？

精心作答

yǒu rén zuò guò tǒng jì　　yí duì yàn zi wèi yǎng
有人做过统计，一对燕子喂养

yì wō xiǎo yàn zi　　yì xiǎo shí yào wèi　　cì　měi
一窝小燕子，一小时要喂15次，每

tiān wèi　　cì　jiā shàng zì jǐ chī de　měi tiān
天喂180次，加上自己吃的，每天

zhuō chóng zài　　zhī yǐ shàng　céng jīng yǒu rén zhuō
捉虫在600只以上。曾经有人捉

zhù yì zhī yǔ yàn　fā xiàn tā dà dà de zuǐ li jìng
住一只雨燕，发现它大大的嘴里竟

rán zhuāng le　　duō zhī chóng zi　　yì wō jiā yàn
然装了300多只虫子。一窝家燕

de miè chónggōng zuò xiāngdāng yú　　ge nóng mín pēn yào
的灭虫工作相当于20个农民喷药

zhì chóng de xiào guǒ
治虫的效果。

大千世界

每到春天，人们的老朋友——燕子，都会从遥远的印度、大洋洲、南洋群岛等地归来。无论飞了多远的路，它们都记得自己的旧巢，会返回故居。如果有麻雀占据了它们的巢，燕子会群起而攻之，撵走麻雀，或者干脆衔泥，把巢口封住，将麻雀困在巢中。

知识链接

用药治虫害会造成环境污染，不利于人、畜，不利于养蚕、养蜂业。因而利用燕子等益鸟消灭害虫，开展生物治虫，是有效而又理想的防治虫害的方法。

·随你问·

世界上迁徙距离最远的是什么鸟

随心所问 世界上近一半的鸟类都要定期迁徙。迁徙鸟类不远千里,南来北往,是为了寻找食物、水源,为了筑巢、养育后代,为了躲避坏天气。那么,什么鸟迁徙的距离最远呢?

动物篇

精心作答

迁徙距离最远的鸟要属北极燕鸥了。北极燕鸥夏季在北极孵化、哺育幼鸟；到了秋季，它们就展翅飞向地球的另一端——南极洲，迁徙期间要飞越高山，穿过大海，长途飞行达3.6万千米。北极燕鸥在南极海洋猎取鱼、虾为生；到第二年春天，又飞回北极。

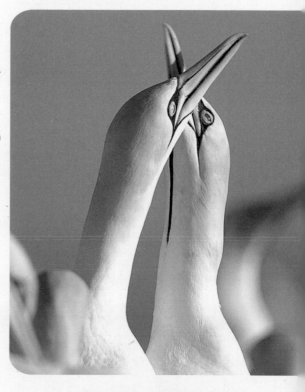

悬念天涯

目前，有机构通过全球定位系统跟踪信鸽，发现信鸽具有异乎寻常的识途本领。鸽子并不是依据太阳辨识方向，而是沿道路飞行。被跟踪的鸽子甚至会在交叉路口红绿灯前转弯，再沿环形路前进。

知识链接

鸟类在迁徙中利用地面标志或太阳、月亮、星星以及地球的磁场等导航。旅程常常很危险，并且要消耗很大的体力。天鹅的飞行高度可达9,000米，可以飞越珠穆朗玛峰。

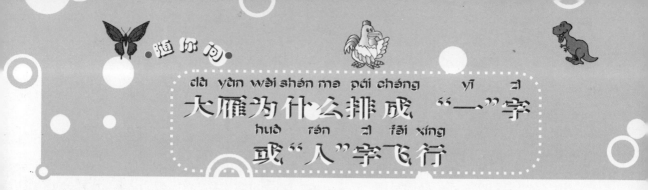

大雁为什么排成"一"字或"人"字飞行

随心所问 秋天到了,大雁开始了它们一年两度的长途迁徙,成群地向南飞去。傍晚时可以看到它们在空中排成"一"字或"人"字的队形飞行。那么,大雁为什么会这样列队飞行呢?

精心作答

dà yàn pái chéng yī zì huò biān chéng rén
大雁排成"一"字或编成"人"

zì xíng fēi xíng kě yǐ shǐ tā men zài qiān xǐ de màn
字形飞行,可以使它们在迁徙的漫

cháng lǚ tú zhōng jié shěng lì qì tóu niǎo fēi zài qián
长旅途中节省力气。头鸟飞在前,

huì chǎn shēng yì gǔ huá liú gēn zài hòu bian de niǎo
会产生一股"滑流",跟在后边的鸟

jiù kě yǐ piāo fēi zài zhè gǔ huá liú zhī shàng jiǎn shǎo
就可以飘飞在这股滑流之上,减少

tǐ néng de xiāo hào lǐng tóu de niǎo fēi lèi le tā hòu
体能的消耗。领头的鸟飞累了,它后

bian de niǎo jiù huì zì dòng shàng qián lái lǐng fēi zhè yàng
边的鸟就会自动上前来领飞。这样

fēi xíng hái kě yǐ zhào gù nà xiē tǐ ruò de dà yàn shǐ
飞行还可以照顾那些体弱的大雁,使

tā men bú diào duì
它们不掉队。

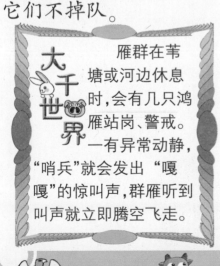

大千世界

雁群在苇塘或河边休息时,会有几只鸿雁站岗、警戒。一有异常动静,"哨兵"就会发出"嘎嘎"的惊叫声,群雁听到叫声就立即腾空飞走。

鸟类迁徙多在夜间,一般持续飞行8个小时左右,所以古人写诗常说夜间闻雁鸣。大雁常在白天飞越海洋,夜间飞越陆地,因为这样比较安全。

鸟的嘴为什么长得形态各异

niǎo de zuǐ wèi shén me zhǎng de xíng tài gè yì

随心所问　世界上共有9,000多种鸟,除了羽毛颜色不同、个头大小不一之外,它们的嘴也长得各式各样,大不相同:有的尖尖的,有的又扁又长,有的呈钩状,有的如袋子。那么,这是为什么呢?

动物篇

精心作答

原来，不同类的鸟吃不同的东西，为了适应它们所吃的东西，鸟的嘴就长得各式各样了。吃种子的鸟，嘴小而坚硬。仙鹤的嘴长、大，便于在水中捞鱼、虾。鹈鹕的大嘴下有个大口袋，能装不少的鱼。野鸭扁扁的嘴有锯齿，可以割断水草。老雕的嘴带钩，可以撕开猎物的皮肉。

观测

2004年6月3日，在北京前海发生了一场鹊蛇大战。一条近2米长的蛇侵入鹊巢，几只喜鹊向"来犯者"发起进攻。它们拍动翅膀，用利喙去啄蛇，蛇扭动身子就是不退，引来七八只喜鹊轮番助战。最后警察来了，用袋子把蛇"请"去了派出所。

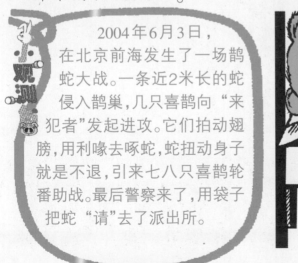

知识链接

啄木鸟的嘴细而尖，适合吃树皮里的虫子；鹦鹉的嘴上半部好像剖开的牛角，可以压裂干果；燕子的嘴扁而阔，张开后面积很大，在快速飞行中可以捉到空中的蚊子、蚜虫等。

谁是陆地上最大的动物

随心所问 在许多许多年以前,恐龙曾经称霸地球,是地球上最大的动物,其它动物一直生活在它的威胁下。而一次不可预知的大灾难却改变了这一切,恐龙从地球上消失了。那么,现在谁是陆地上最大的动物呢?

动物篇

大象的体重可达8吨，是现在地球陆地上体积最大的动物。象很聪明，它们在一起过着群居生活。它们还非常团结，有的象被人打伤了，其它的象就在两边夹着受伤的象一起行走。有的象死了，整个象群都很悲伤，围着它默默徘徊，久久不肯离去。

一头母象带着小象在河边洗澡，村寨里的猎人看见了，开枪射倒了小象。母象哀伤地抚摸小象，又愤怒地拔起身边的树，它又跑又跳，围着小象转，最后才无奈地一步一回头地走向密林。两天后，母象带着十几头大象冲进村寨，拱翻了许多竹楼，然后才大摇大摆地离开。

远古时期，曾有350多种象生活在地球上。到现在，只剩下了两种：亚洲象和非洲象。亚洲象只有雄性长有象牙，非洲象雌雄均长有长象牙。

dà xiàng wèi shén me yǒu yí ge cháng cháng de bí zi
大象为什么有一个长长的鼻子

随心所问

zài dòng wù yuán li zài mǎ xì tuán li wǒ men cháng néng kàn dào dà xiàng de
在动物园里，在马戏团里，我们常能看到大象的

páng dà shēn qū xiàng shì yì zhǒng bǐ jiào wēn xùn de dòng wù dà xiàng yǔ bié de dòng
庞大身躯。象是一种比较温驯的动物。大象与别的动

wù zuì tū chū de qū bié jiù shì tā zhǎng le yí ge cháng cháng de dà bí zi nà me
物最突出的区别就是它长了一个长长的大鼻子。那么，

dà xiàng wèi shén me huì yǒu yí ge cháng cháng de bí zi ne
大象为什么会有一个长长的鼻子呢？

精心作答

dà xiàng de bí zi yóu wàn duō kuài jī ròu zǔ
大象的鼻子由4万多块肌肉组

chéng jì cháng yòu líng huó dà xiàng de bí zi jiù xiàng rén
成，既长又灵活。大象的鼻子就像人

de shǒu yí yàng kě yǐ shí qǐ dì shang wēi xiǎo de dōng
的手一样，可以拾起地上微小的东

xi kě yǐ juǎn qǐ shí wù sòng jìn zuǐ li tā hái yòng
西，可以卷起食物送进嘴里。它还用

bí zi xī shuǐ pēn dào shēn shang xǐ zǎo xiàng bí zi de lì
鼻子吸水喷到身上洗澡。象鼻子的力

qì hěn dà néng bān dòng chén zhòng de dōng xi bāng zhù rén
气很大，能搬动沉重的东西，帮助人

lèi gōng zuò dà xiàng hái yòng bí zi dǐ kàng dí rén
类工作。大象还用鼻子抵抗敌人。

大千世界

驻守在西双版纳的巡逻部队在密不透风的丛林中正为择路而发愁时，遇到了象。大象在战士们身边转悠了一会儿，便挥动鼻子，将竹丛三下两下拔掉，开出了一条小路。为了感谢大象，战士们食盐放到大象洗澡的水旁，闻到盐味的象美餐一顿后，走到岸边，挥鼻向战士告别。

知识链接

印度早在公元前3,500多年就驯养象。老挝的国旗上绘着象，首都叫"万象"。泰国有"大象之邦"的美称，大象在这里被视为佛教圣物。

长颈鹿为什么有长长的脖子

动物篇

随心所问

长颈鹿是当今世界上最高的动物，身高可达6米，有两层楼那么高。长颈鹿并不是全身的每个部位都那么长，主要是脖子很长。那么，长颈鹿的脖子为什么会长得那么长呢？

精心作答

chángjǐng lù zhǎng yǒu cháng cháng de bó zi shì jìn
长颈鹿长有长长的脖子是进
huà de jié guǒ cháng jǐng lù de zǔ xiān shēng huó zài gān
化的结果。长颈鹿的祖先生活在干
hàn shǎo yǔ de huán jìng li dì shang shēng zhǎng de zhí wù
旱少雨的环境里,地上生长的植物
hěn shǎo wèi le shēng cún tā men nǔ lì shēn cháng bó
很少。为了生存,它们努力伸长脖
zi gòu zhe chī shù shang gāo chù de nèn yè yòu yá jiǔ
子,够着吃树上高处的嫩叶、幼芽。久
ér jiǔ zhī jīng guò dà zì rán de táo tài hé xuǎn zé
而久之,经过大自然的淘汰和选择,
cháng jǐng lù de bó zi jiù yuè lái yuè cháng le
长颈鹿的脖子就越来越长了。

大开眼界

长颈鹿的身上长有斑纹,每一头长颈鹿的斑纹都是独特的,不一样的。这些斑纹可以帮助长颈鹿隐蔽,使它们不容易被天敌发现。

知识链接

由于个子高、腿长,长颈鹿低头喝水很费劲。它必须分开两条前腿,降低身体的高度,才能够得着水喝。

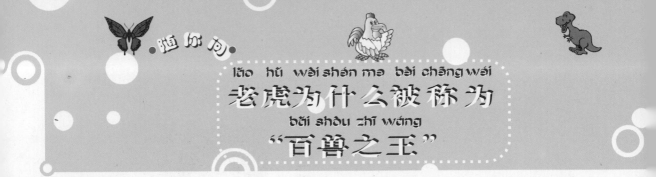

老虎为什么被称为"百兽之王"

lǎo hǔ wèi shén me bèi chēng wéi
bǎi shòu zhī wáng

随·心所问

老虎是人们熟悉的威猛而神秘的动物,它通常是力量、勇猛和威严的象征,被称为"百兽之王",森林中的动物们大都臣服在它的脚下。那么,为什么老虎会有这么辉煌的桂冠呢?

动物篇

精心作答

因为老虎生性凶猛，喜欢独来独往。它身体长大，力量强大，经常捕食野猪、鹿、狍等较大型动物，甚至袭击熊、豹、狼等猛兽。老虎长得威风凛凛，每只老虎的脸部都有自己独特的黑色条纹，前额有像"王"字的斑纹，因此被誉为"兽中之王"。除了人之外，老虎没有天敌。

画家张大千及其兄张善子善画虎，家中饲养了一只幼虎。小虎为画家兄弟做模特，让它立就立，让它坐就坐，俯首帖耳。一次，几个子侄犯了错误，一个挨了手板，另几个跑掉了。小虎就去把他们一个个都赶到张善子的面前，直到每一个人都挨了手板，小虎才罢休。

老虎现在被列为世界十大濒危物种之首。我国东北虎最珍贵，野外仅余六七只。苏门答腊虎不到20只。随着巴厘虎和里海虎的灭绝，预计这一物种在不久的将来也将从地球上消失。

狮子家族的命运怎样
shī zi jiā zú de mìng yùn zěn yàng

随心所问

地球上许多地方都曾经有狮子雄健的身影。狮子曾经在灌木丛生地带及广阔的大草原上自由地驰骋。但是,受人类影响,狮子家族的命运发生了变化,你知道它们现在命运怎么样了吗?

精心作答

狮子曾是各地草原上的霸主，但随着人类活动的加剧，1万年前，它们从北美消失了；2,000年前，它们绝迹于巴尔干半岛和巴勒斯坦地区；1865年，最后一头西非狮倒在欧洲人的枪口下；1922年，北非狮也永远地消失了。到目前为止，这种威猛的动物仅剩下几万头了。

你知道吗

在印度国家森林公园中生活着几百头亚洲狮。由于人类活动侵入了它们的栖息地，给它们带来了病菌，结核病在它们中间传播、蔓延，狮子的命运岌岌可危。种群数量的不足，也将导致狮子这一物种的生存危机。

知识提供

狮子家族组织纪律性很强。捕捉猎物时，雄狮长吼，猎物吓得向相反方向逃，这正中了雌狮和其他狮子的埋伏。捕获了猎物后，雄狮先将猎物撕碎，享受一番，然后才允许雌狮和幼狮去吃。

豹为什么是陆地上奔跑最快的动物
bào wèi shén me shì lù dì shang bēn pǎo
zuì kuài de dòng wù

随心所问

动物篇

豹通身长着块状的斑纹,它常常趴在树的枝叶间或草丛里,行动十分隐蔽。豹的举止迅猛而优雅,是陆地上奔跑得最快的动物。那么,豹子为什么会跑得快呢?

精心作答

豹子是猫科动物，它的身体前高后矮，呈流线型，富有爆发力，所以奔跑起来，空气的阻力很小。它有特大的肺、粗壮的血管和有力的心脏，足以支持它做剧烈的活动。它奔跑起来跨幅大，速度惊人，每小时可达100千米，因而豹子被人们称为陆地上的动物奔跑冠军。

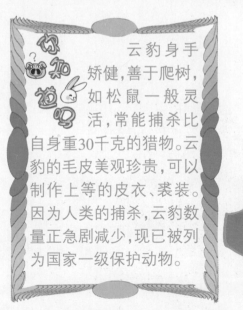

你知道吗

云豹身手矫健，善于爬树，如松鼠一般灵活，常能捕杀比自身重30千克的猎物。云豹的毛皮美观珍贵，可以制作上等的皮衣、裘装。因为人类的捕杀，云豹数量正急剧减少，现已被列为国家一级保护动物。

知识链接

动物园中的豹由于失去了野生环境而日愈萎靡不振。最后一只亚洲豹于1995年在印度的德里动物园死去，从此，这个美丽而神奇的物种在地球的生命史上消失了。在阿富汗，因战争而遭殃的除了普通百姓，还有那些濒于灭绝的动物，像雪豹，目前正被疯狂地捕杀，它们的生存环境受到严重破坏。

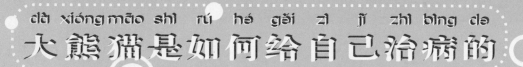

大熊猫是如何给自己治病的

大熊猫是中国特有的珍稀动物。世界上现存的大熊猫数量极少，人们想尽办法保护它们，而它们自己也有自我保护的办法。那么，你知道大熊猫是如何给自己治病的吗？

动物篇

精心作答

dà xióng māo shì jí xiáng yǒu yì de xiàng zhēng shì hé
大熊猫是吉祥友谊的象征，是和

píng yǒu hǎo de shǐ zhě tā de shēn tǐ jiàn kāng zhuàng kuàng qiān
平友好的使者，它的身体健康状况牵

dòng zhe rén men de xīn dà xióng māo de shí wù yǐ zhú zi wéi
动着人们的心。大熊猫的食物以竹子为

zhǔ tā de shí liàng hěn dà yǒu shí bù xiǎo xīn jiù chī huài le
主。它的食量很大，有时不小心就吃坏了

dù zi měi dāng zhè shí dà xióng māo jiù qù tiāo xuǎn yì xiē
肚子。每当这时，大熊猫就去挑选一些

qīng cǎo lái chī chī le yǐ hòu bìng jiù hǎo le dà xióng māo zì
青草来吃，吃了以后病就好了。大熊猫自

jǐ gěi zì jǐ zhì bìng hái zhēn yǒu diǎnr xīn jì ne
己给自己治病，还真有点儿心计呢！

大千世界

成年大熊猫憨态可掬，身软体胖，重200千克左右；而刚出生的熊猫体重仅有妈妈的1/‰，好像一个不睁眼、没毛的小老鼠。大熊猫可喜欢自己的宝宝了，外出时抱在怀里，或含在嘴里，时时抚摸，母幼形影不离。大熊猫的寿命为20~30年。

知识链接

现存野生大熊猫不足1,000只，人工饲养的约100多只。大熊猫是我国的"国宝"、一级保护动物。它的形象被世界野生动物协会选为会标。现在世界上有50多个国家的公园里有中国赠送的大熊猫。

牦牛为什么被称为"高原之舟"

máo niú wèi shén me bèi chēng wéi gāo yuán zhī zhōu

牦牛生活在我国青藏高原地区,又叫西藏牛或猪声牛。4,500年前,野生牦牛开始向家牦牛驯化。饲养牦牛历史最久远的是藏族人民。藏族人民又把牦牛称为"高原之舟",这是为什么呢?

动物篇

精心作答

qīng zàng gāo yuán hǎi bá　　　　 mǐ yǐ shàng　 qì
青藏高原海拔4,000米以上,气
hòu è liè　kōng qì xī bó　yì bān de jiā chù nán yǐ shēng
候恶劣,空气稀薄,一般的家畜难以生
cún　máo niú de xiōng qiāng hěn dà　xīn　fèi fā dá　xuè yè
存。牦牛的胸腔很大,心、肺发达,血液
zhōng de hóng xuè qiú shù liàng duō　néng mǎn zú jī tǐ duì yǎng
中的红血球数量多,能满足机体对氧
de xū qiú　yīn ér máo niú bú wèi yán hán　néng fù zhòng bá
的需求,因而牦牛不畏严寒,能负重跋
shè　zài dāng dì　wù zhì yùn shū dōu yào yī kào máo niú suǒ
涉。在当地,物质运输都要依靠牦牛,所
yǐ máo niú bèi chēng wéi　gāo yuán zhī zhōu
以牦牛被称为"高原之舟"。

大开眼界

牦牛成群生活在一起。9月份是发情期。公牦牛之间时常为争夺配偶而发生激烈的格斗。有时,野牦牛还会闯到家牦牛中找伴甚至带着家牦牛一起另奔他乡。

知识链接

牦牛是原始的牛科动物,经过人类驯化,成了家畜。它的肉可吃,奶可喝,皮可制衣、制帐篷、搓绳索,绒可做毡子。牦牛又是重要的交通工具,高原上的人生活离不了它。

狗是怎样成为人的伙伴的
gǒu shì zěn yàng chéng wéi rén de huǒ bàn de

随心所问 自然界中的许多动物都和人类有着密切的关系，如猫、狗、鸟、兔、龟，等等，其中和人类关系最为密切的要属狗了。那么，狗是怎样成为人类的伙伴的呢？

精心作答

dà yuē zài　　　　　 nián yǐ qián　xué jū de
大约在12,000年以前，穴居的
rén jiù jiāng yà zhōu láng xùn huà le　 yóu yú cháng qī
人就将亚洲狼驯化了。由于长期
yǔ rén lèi yì qǐ shēng huó　zhè zhǒng dòng wù kān jiā
与人类一起生活，这种动物看家
hù yuàn hé zuò wéi shòu liè zhù shǒu de běn lǐng bèi rén
护院和作为狩猎助手的本领被人
men suǒ lì yòng　chéng wéi yǔ rén yì qǐ shēng huó de
们所利用，成为与人一起生活的
gǒu cóng nà yǐ hòu　gǒu jiù yǔ rén de shēng huó jǐn
狗。从那以后，狗就与人的生活紧
mì lián xì qǐ lái　xiàn zài xǔ duō gǒu yǐ chéng wéi rén
密联系起来。现在许多狗已成为人
men shēng huó zhōng de chǒng wù le
们生活中的宠物了。

狗在睡觉以前，会绕圈检查窝是否安全。这是狼祖先的特性被保存到现在的表现。虽然世界上大多数人都喜爱狗，但也有一些民族讨厌狗，比如印度教徒就认为狗是不洁动物，穆斯林也不喜欢狗。

狗的鼻子占据了脸的大部分，鼻子内皱褶上布满了嗅觉细胞，能嗅出200多万种不同的气味。人们利用狗的灵敏嗅觉，训练它找矿、救灾、搜毒等。狗又是第一个遨游太空的动物。当初北美草原上的印第安人连手推车也没有，全靠狗拉着雪橇在冰原上飞跑。

藏羚羊找不到水时怎么办

zàng líng yáng zhǎo bú dào shuǐ shí zěn me bàn

随心所问 藏羚羊生活在青藏高原上，尤其喜欢靠近有水源的平坦草滩。它们生性胆怯，常隐蔽在岩穴中，或在平坦的沙地掘个坑，躲在其中，既避风沙，又可瞭望天敌。但它们有时口渴了却找不到水，怎么办呢？

动物篇

精心作答

zài zhǎo bú dào shuǐ shí　cōng míng de zàng líng
在找不到水时，聪明的藏羚
yáng huì qù zhǎo shēng huó zài zì jǐ zhōu wéi de xī zàng
羊会去找生活在自己周围的西藏
yě lǘ　yuán lái yě lǘ yǒu yì zhǒng tè shū de běn
野驴。原来野驴有一种特殊的本
lǐng　néng xiù dào shén me dì fang yǒu shuǐ　tā hái yǒu
领，能嗅到什么地方有水，它还有
jué dì qǔ shuǐ de běn lǐng　néng yòng tí zi páo chū bàn
掘地取水的本领，能用蹄子刨出半
mǐ shēn de kēng　yě lǘ hē dào le shuǐ　zàng líng yáng yě
米深的坑。野驴喝到了水，藏羚羊也
jiù jiè guāng hē dào le shuǐ
就借光喝到了水。

大千世界

有个老猎人，在一天早上突然遇到一只来不及逃跑的肥大藏羚羊。面对枪口，藏羚羊眼内含泪，突然跪在地上，向他作揖。但是猎人仍然冷酷地开了枪。当他剖开羊肚子时，看到了一只即将出生的小羊。藏羚羊是为了自己的孩子向人跪拜。从此老猎人不再杀生。

知识链接

用藏羚羊的绒毛纺织的物品轻柔、坚韧、保暖，一条近两米的披肩可从戒指中穿过，价格达17,000美元。织一条披肩就要猎杀3~5只羚羊取毛。70年前，有成千上万的藏羚羊生活在西藏可可西里，因为人类的偷猎，现在数量急剧下降。藏羚羊已成稀有动物，亟须保护。

骆驼为什么被称为"沙漠之舟"

随心所问

如果没有合适的工具，沙漠对于人类来说，几乎是不可战胜的。人们在打算穿越沙漠时，一定会准备好充足的水，并且要骑上骆驼。人们把骆驼叫做"沙漠之舟"，这是为什么呢？

精心作答

zhè shì yīn wèi luò tuo de shēn tǐ gòu zào bǐ
这是因为骆驼的身体构造比
jiào tè shū   tā de bèi shang yǒu liǎng ge tuó fēng   lǐ
较特殊：它的背上有两个驼峰，里
miàn zhù cún zhe yíng yǎng wù zhì hé shuǐ   kě yǐ suí shí
面贮存着营养物质和水，可以随时
gěi shēn tǐ bǔ jǐ   yīn cǐ luò tuo yòu nài kě yòu nài
给身体补给，因此骆驼又耐渴又耐
è   tā de jiǎo zhǎng kuān hòu   kě yǐ zài sōng ruǎn de
饿。它的脚掌宽厚，可以在松软的
shā tǔ shang wěn wěn xíng zǒu   luò tuo hái néng fù
沙土上稳稳行走。骆驼还能负
zhòng   shì shā mò zhōng zuì hǎo de yùn shū gōng jù   suǒ
重，是沙漠中最好的运输工具。所
yǐ   rén men chēng tā wéi   shā mò zhī zhōu
以，人们称它为"沙漠之舟"。

大千世界

骆驼长期生活在风沙漫天的沙漠地带，为了适应恶劣的自然环境，骆驼长了双层眼睫毛，鼻孔内有开合的瓣膜，可以挡住飞扬的沙尘。它的眼睛还长有能避免强光刺激的结构，防止烈日刺伤眼睛。

知识链接

骆驼几分钟就可以喝掉60升水，一次饮水量能达100升。只有在体温达到40.5℃时骆驼才会出汗，而这个温度对人来说已经是致命的了。骆驼还可以连续17天不喝水，所以它可以带人载货穿越干旱的沙漠。

xī niú de jiǎo yǒu shén me yòng
犀牛的角有什么用

随心所问 犀牛长相独特：异常粗笨的身躯，短柱子般的四肢，硕大的头颅，全身覆盖着铠甲一般的厚皮，就如同一个全身披挂的勇士一般，更奇特的是头顶上长着角。那么，犀牛的角有什么用呢？

犀牛的角用处可大了，它既是犀牛用以抵御敌人的武器，也是犀牛掘地觅食的工具。总之，它是犀牛生存的保障。在人类的生活中，犀牛角是一种价值比黄金还要贵重的药材，也是制作各种精美工艺品的上好原料。

犀牛生活在热带有水的林地边，嗅觉、听觉敏锐。遇有侵害，它们宁愿躲避而不愿格斗，是不伤人的动物。不过，当它们陷于困境或受伤时，却异常凶猛，往往会拼命冲向敌人。除了人类，犀牛没有天敌。

犀牛也因独特的角面临灭顶之灾。在1969年，肯尼亚至少有18,000头犀牛，到1979年时仅剩下1,500头了。在亚洲，犀牛总共不足2,000头。人们对犀牛的狂捕滥杀，导致这一物种濒于灭绝。保护犀牛，刻不容缓。

斑马生活在非洲的大草原上，过着群居生活。它们长得和普通的马很像，只是长了一身条状的花纹，这些花纹大多是黑白相间的。那么，这些花纹有什么作用呢？

精心作答

yuán lái, zhè jì shì tā men zài qún tǐ dāng zhōng
原来，这既是它们在群体当中
hù xiāng qū bié de biāo jì yě shì duǒ kāi dí rén zhuī zōng
互相区别的标记，也是躲开敌人追踪
de bǎo hù sè měi yì pǐ bān mǎ shēn shang de tiáo wén
的保护色。每一匹斑马身上的条纹
dōu bù yí yàng zài bái tiān tiáo wén shǐ bān mǎ zhī jiān
都不一样。在白天，条纹使斑马之间
hěn róng yì xiāng rèn dào yè wǎn zài yuè sè xià tiáo wén
很容易相认；到夜晚，在月色下，条纹
hé zhōu wéi de huán jìng róng wéi yì tǐ shī zi liè gǒu
和周围的环境融为一体，狮子、鬣狗
děng měng shòu hěn nán fā xiàn tā men tiáo wén qǐ dào le
等猛兽很难发现它们，条纹起到了
bǎo hù bān mǎ zì shēn ān quán de zuò yòng
保护斑马自身安全的作用。

大千世界

在北极，除了白色的北极狐，还有北极熊、北极狼、北极兔等，它们都是白色的。这是它们适应冰天雪地环境的一大特色。

动物都有伪装保护自己的本领，让自己身体的颜色、条纹、花斑与周围环境融为一体。夏季，北极狐的皮毛是棕色的，与光秃秃的土地一致；到了冬季，皮毛就变成了白色，与冰天雪地一个样。

mǎ wèi shén me yào guà zhǎng
马为什么要挂掌

动物篇

随心所问

mǎ bēn pǎo qǐ lái kuài jié rú fēng tā de tí zi shang zhǎng yǒu yì céng hòu hòu
马奔跑起来快捷如风。它的蹄子上 长 有一层厚厚

de yìng huà le de jiǎo zhì jiù suàn zǒu lù shí gè shàng shí zǐ yě méi guān xi kě shì
的硬化了的角质，就算走路时硌上石子也没关系。可是

bāng rén gàn huó de mǎ pǐ què yào chuān shàng xié zi měi gé yí duàn shí jiān jiù yào
帮人干活的马匹却要穿 上 "鞋子"，每隔一段时间就要

dào tiě jiang pù li guà zhǎng nà me mǎ wèi shén me yào guà zhǎng ne
到铁匠铺里挂掌。那么，马为什么要挂掌呢？

精心作答

mǎ jīng cháng gàn huó zǒu lù bēn pǎo mǎ tí
马 经 常 干 活 、走 路 奔 跑 ，马 蹄

shang de jiǎo zhì ké hěn róng yì mó sǔn rú guǒ mó sǔn
上 的 角 质 壳 很 容 易 磨 损 ，如 果 磨 损

de tài yán zhòng jiù huì lòu chū jī ròu mǎ jiù cùn bù
得 太 严 重 就 会 露 出 肌 肉 ，马 就 寸 步

nán xíng le dìng shàng mǎ zhǎng jiù kě yǐ bǎo hù hǎo
难 行 了 。钉 上 马 掌 ，就 可 以 保 护 好

mǎ tí rú guǒ shí jiān jiǔ le dìng de mǎ zhǎng yòu
马 蹄 。如 果 时 间 久 了 ，钉 的 马 掌 又

mó sǔn le jiù yào jí shí gēng huàn xīn de mǎ zhǎng
磨 损 了 ，就 要 及 时 更 换 新 的 马 掌 。

在内蒙古大草原上，雪夜里，一匹大青马驮着主人回家。主人突然感到马特别紧张，步伐也越来越乱，甚至回头咬住了主人的毡靴。这时主人才看到侧前方有一群狼。虽然很紧张，大青马却装做没看见狼，稳步而行，当主人敲响钢马镫吓退狼群时，大青马就像射出的弓箭一样狂奔起来。

马与人类关系密切。古代经常发生战争，马是重要的作战工具。成吉思汗依靠铁骑征服了大半个欧洲、亚洲，建立了大帝国。现代一些国家有警马，马术运动、休闲马车、庆典的仪仗队也离不开马，更别说生产劳动了。

hé mǎ yǔ mǎ yǒu guān ma
河马与马有关吗

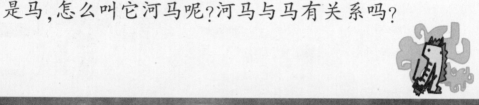

随·心·所·问 hé mǎ zhù zài fēi zhōu yǒu hé liú de dì fang tā de shēn tǐ chéng yuán tǒng xíng
河马住在非洲有河流的地方，它的身体呈圆桶形，

quán shēn méi máo tǐ cháng mǐ duō tǐ zhòng kě dá dūn kě shì hé mǎ yòu bú
全身没毛，体长4米多，体重可达4.5吨。可是河马又不

动物篇

shì mǎ zěn me jiào tā hé mǎ ne hé mǎ yǔ mǎ yǒu guān xì ma
是马，怎么叫它河马呢？河马与马有关系吗？

精心作答

河马虽然被称为"马",面
孔也长得像马,可事实上它与
马没有任何联系,是与马完全不
同的动物。河马头大,嘴阔,耳
小,犬齿发达。它的前后肢都很
短,趾间略有蹼。在它的族谱
中,它与猪倒是近亲。

河马不吃水中的植物。外出觅食时,在河马队伍中,由雄河马打头开路,雄河马边走边尿,留下记号,跟在后边的是幼小的河马,老河马则殿后。

河马除了到河岸上找食物吃以外,一生都泡在水里。河马极善游泳,可以潜入水下半小时不换气。河马如果长时间离开水,它们的皮肤就会干裂。

黑熊喜欢吃什么
hēi xióng xǐ huan chī shén me

生活在我国东北的黑熊，视力不好，所以当地人都叫它"黑瞎子"。它长着构造齐全的牙齿和硕大的腭，吃起东西来非常仔细。那么，黑熊喜欢吃什么呢？

精心作答

hēi xióng shēng huó zài mào mì de shān lín li　suī rán
黑熊 生活在茂密的山林里，虽然

shì lì bù jiā　dàn shì bí zi hé ěr duo kě líng le　hěn yuǎn
视力不佳，但是鼻子和耳朵可灵了，很远

jiù néng xiù dào fēng mì de wèi dao　tā zuì xǐ huan chī de shì
就能嗅到蜂蜜的味道，它最喜欢吃的是

fēng mì hé mǎ yǐ　hēi xióng de pí hěn hòu　bú pà mì fēng de
蜂蜜和蚂蚁。黑熊的皮很厚，不怕蜜蜂的

gōng jī　suǒ yǐ tā cháng cháng sì wú jì dàn de qù tāo fēng
攻击，所以它常常肆无忌惮地去掏蜂

cháo　hēi xióng de shí xìng hěn zá　chú le chī xiǎo niǎo shǔ tù
巢。黑熊的食性很杂，除了吃小鸟、鼠、兔

zhī wài hái chī lì zi sōng zǐ zhēn zi děng yě guǒ
之外，还吃栗子、松子、榛子等野果。

黑熊在每年的11月份到第二年的3月份冬眠。它在冬眠期不吃不喝，仅靠消耗自身的脂肪来维持生命。有时晴天，阳光好，它还会醒来晒晒太阳，以维持体温，抵抗寒冬。冬眠期间母熊还要产仔，哺育。

黑熊看起来挺凶的，特别是张牙舞爪的样子特别可怕。其实，它是一种很温顺的动物，一般情况下它不会主动进攻人，但在受伤后或护仔时异常凶猛。只要人不威胁它，它遇到人时都会悄悄地躲开。

麋鹿为什么又叫"四不像"

mí lù wèi shén me yòu jiào "sì bú xiàng"

麋鹿是一种非常特殊的大型鹿科动物,体长约有2米,雄鹿的体重可达到250千克,头上的角能长到80厘米,每两年脱换一次。人们又把麋鹿叫做"四不像",这是为什么呢?

精心作答

麋鹿长得奇特：角长得很像鹿，头部和面部长得像马，身子和尾巴长得像驴，蹄子长得像牛，所以又叫"四不像"。麋鹿曾经广泛分布在我国各地，但由于人的活动，20世纪初已接近绝迹，目前也仅存千余只于世界各地的公园。

大千世界

在鹿的家族中，形体最小的是生活在热带次生林、灌木丛中的鼷鹿。鼷鹿如兔般大小，体重仅2千克。鼷鹿身上具有鹿类的原始特征，有研究价值，是国家一级保护动物。鹿类中形体最大的是驼鹿。驼鹿又叫犴，体重能达到300千克，体形似驼，活动在黑龙江、内蒙古、新疆一带。

知识链接

麋鹿属于鹿的家族，这一家族还有梅花鹿、马鹿、驼鹿、獐、驯鹿等。鹿茸是雄鹿未长成硬骨的新角，是名贵的中药。

小松鼠为什么有一条大尾巴
xiǎo sōng shǔ wèi shén me yǒu yì tiáo dà wěi ba

随心所问

在树上跳来跳去的小松鼠，拖着一条毛茸茸的大尾巴。这条尾巴非常漂亮，使松鼠分外招人喜爱。那么，你知道小松鼠的大尾巴有什么作用吗？

动物篇

小松鼠在树枝上蹿动时，大尾巴就像舵一样掌握方向。小松鼠从高的树上往下跳，大尾巴就成了降落伞，使它平安落地，一点儿也不会受伤。晚上睡觉的时候，蓬松的大尾巴就像被子一样搭在身上，既柔软又暖和。小松鼠的尾巴用处可真大啊！

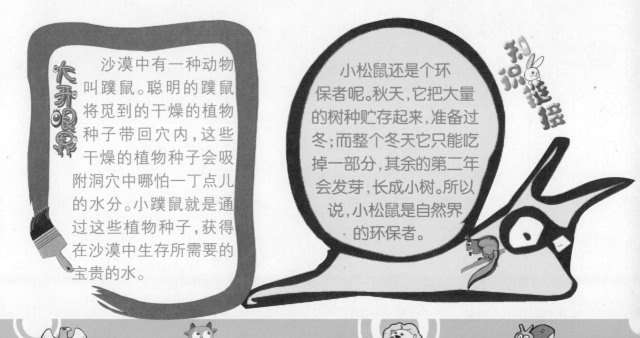

沙漠中有一种动物叫蹼鼠。聪明的蹼鼠将觅到的干燥的植物种子带回穴内，这些干燥的植物种子会吸附洞穴中哪怕一丁点儿的水分。小蹼鼠就是通过这些植物种子，获得在沙漠中生存所需要的宝贵的水。

小松鼠还是个环保者呢。秋天，它把大量的树种贮存起来，准备过冬；而整个冬天它只能吃掉一部分，其余的第二年会发芽，长成小树。所以说，小松鼠是自然界的环保者。

兔子的耳朵为什么那么长
tù zi de ěr duo wèi shén me nà me cháng

随心所闻 小兔子是人人喜爱的动物,它们是那么温顺善良,
xiǎo tù zi shì rén rén xǐ ài de dòng wù　tā men shì nà me wēn shùn shàn liáng

吃东西的样子也可爱极了,两颗长长的牙,不停地动
chī dōng xi de yàng zi yě kě ài jí le　liǎng kē cháng cháng de yá　bù tíng de dòng

着。一对大耳朵,是它最突出的特征。那么,兔子的耳朵
zhe　yí duì dà ěr duo　shì tā zuì tū chū de tè zhēng　nà me　tù zi de ěr duo

为什么那么长呢?
wèi shén me nà me cháng ne

动物篇

精心作答

兔子天性胆小，性情友善，是野生动物中最弱小的。它们常常成为食肉动物的猎食对象，因而每时每刻都要防备不测。为了逃避凶敌，兔子必须竖起耳朵倾听周围的动静。它的耳朵能四面转动，听觉敏锐，听到异常动静立即逃窜。久而久之，兔子的耳朵就越来越长了。

兔子做窝时，会留好几个门，以便敌人从前门打进来时，自己从后门逃跑，所以有"狡兔三窟"的成语。兔子虽然跑得快，但是眼睛长在头的两侧，不利于转动头部看东西，所以会发生快跑时撞上树桩的悲剧。寓言"守株待兔"中的兔子大概就是这种情况。

知识链接

夏天天气炎热在沙漠和热带地区生活的兔子，更要想法降低体温。兔子的大耳朵布满了血管，当血液流过时，就起到降温解热的作用了。

与人类最相近的是什么动物
yǔ rén lèi zuì xiāng jìn de shì shén me dòng wù

随心所问

人是地球上众多生物中的一种，人是由类人猿
rén shì dì qiú shang zhòng duō shēng wù zhōng de yì zhǒng, rén shì yóu lèi rén yuán

进化而来的。在几百万年前，人逐渐从动物中脱离出
jìn huà ér lái de。zài jǐ bǎi wàn nián qián, rén zhú jiàn cóng dòng wù zhōng tuō lí chū

来，经过进化，形成了现在的高等智慧生命体。那么，
lái, jīng guò jìn huà, xíng chéng le xiàn zài de gāo děng zhì huì shēng mìng tǐ。nà me,

在大自然中与人类最相近的是什么动物呢？
zài dà zì rán zhōng yǔ rén lèi zuì xiāng jìn de shì shén me dòng wù ne

动物篇

精心作答

shēng zhǎng zài fēi zhōu sēn lín zhōng de hēi xīng xing shì
生长在非洲森林中的黑猩猩是
qì jīn wéi zhǐ fā xiàn de yǔ rén lèi zuì xiāng jìn de dòng
迄今为止发现的与人类最相近的动
wù tā men néng shú liàn de zhì zào hé shǐ yòng jiǎn dān de
物。它们能熟练地制造和使用简单的
gōng jù néng yòng xiǎo shù zhī diào chū shēn dòng li de bái
工具，能用小树枝钓出深洞里的白
yǐ chī néng yòng shí kuài zá kāi jiān guǒ néng yòng shù yè
蚁吃，能用石块砸开坚果，能用树叶
cā diào shēn shang de huī chén tā men yě yǒu xǐ nù āi
擦掉身上的灰尘。它们也有喜怒哀
lè de biǎo qíng shì zhì shāng jiào gāo de dòng wù
乐的表情，是智商较高的动物。

大千世界

全世界的灵长类动物有200多种，其中猴子占大多数。猴子的智力较高，经过人的训练，可以为人做事。在马来西亚，人们训练猴子爬到二三十米高的树上去摘椰子，一只猴子一天能摘1,000多个椰子。干完活，主人只要给它几根香蕉吃，猴子就很高兴了。

知识链接

黑猩猩繁殖周期很慢，雌猩猩要到11岁才生育，每4年只孕一次；另一方面，人类大量捕杀黑猩猩，加上贩运路途以及时新环境的不适应，黑猩猩大量死亡。黑猩猩已经成为最受灭绝威胁的物种，亟须人类的全面保护。

山魈是什么
shān xiāo shì shén me

人们都无数次地听说或想像过妖魔鬼怪的模样，虽然世上并不存在这些东西。但是，只要你见到了山魈，就一定会以为见到鬼了。那么，山魈是什么呢？

动物篇

shān xiāo shì yì zhǒng dòng wù   shǔ yú líng zhǎng mù
山魈是一种动物，属于灵长目。

tā de zhǎng xiàng hěn tè bié   méi gǔ tū chū   yá chǐ yòu
它的长相很特别：眉骨突出，牙齿又

jiān yòu cháng   liǎn jiá zhě zhòu yàn lán tòu zǐ   hái yǒu yí ge
尖又长，脸颊褶皱艳蓝透紫，还有一个

shēn hóng sè de dà bí zi   zài jiā shàng bái hú xū   zhēn
深红色的大鼻子，再加上白胡须，真

shì yí fù   guǐ   yàng zi   tā xìng qíng bào liè   xiōng měng
是一副"鬼"样子。它性情暴烈、凶猛，

pèng shàng shī zi   bào zi děng měng shòu shí   bú dàn bú
碰上狮子、豹子等猛兽时，不但不

pà   hái dà hǒu tiǎo xìn   xià de duì fāng luò huāng ér táo
怕，还大吼挑衅，吓得对方落荒而逃。

人们在动物园常常看到猴子给同伴捉虱子。其实，那是它在从同伴体毛根部拣摘汗盐粒吃。猴子汗液挥发后，剩下的盐分混同皮肤和毛根的污垢合成盐粒。当猴子感觉自己需要盐分时，就会到同伴身上去找，看起来就好像在捉虱子。

猴子的口腔两边长了两个口袋似的东西，叫"颊囊"，它们把抢到的食物先吞到颊囊存起来，脸蛋两边就会鼓起大包，然后躲到一边去慢慢咀嚼享受。

wèi shén me yào xiāo miè lǎo shǔ
为什么要消灭老鼠

随心所问 鼠害现在已经是很严重的问题了。老鼠是很聪明的动物，繁殖力又强，人类在目前的科技条件下要想消灭鼠类几乎是不可能的。那么，人们为什么要消灭老鼠呢？

动物篇

精心作答

lǎo shǔ de mén yá zhōng shēng bù tíng de shēng zhǎng
老鼠的门牙终生不停地生长，

wèi le bì miǎn mén yá zhǎng de tài cháng ér yǐng xiǎng chī dōng
为了避免门牙长得太长而影响吃东

xi lǎo shǔ biàn zhōng rì kè yǎo bù tíng mó yá lǎo shǔ pò
西，老鼠便终日嗑咬，不停磨牙。老鼠破

huài jiàn zhù wù yǎo huài diàn xiàn diàn lǎn guǎn dào shè bèi
坏建筑物，咬坏电线、电缆、管道设备；

měi nián bèi lǎo shǔ zāo tà de liáng shi huò hài de zhuāng jia
每年被老鼠糟踏的粮食、祸害的庄稼

bú jì qí shù lǎo shǔ shēn shang xié dài yǒu duō zhǒng wēi
不计其数。老鼠身上携带有30多种危

hài rén lèi jiàn kāng de bìng jūn shǔ yì céng jīng duó qù le xǔ
害人类健康的病菌，鼠疫曾经夺去了许

duō rén de shēng mìng suǒ yǐ bì xū xiāo miè lǎo shǔ
多人的生命。所以，必须消灭老鼠。

世上共有1,700多种鼠类。它们适应力极强，不管什么环境都能生存，连放射性物质也不怕。广岛、长崎的两颗原子弹曾使鸟兽绝迹，可是对老鼠却几乎无伤害。它们从高处掉下来摔不死，冲到下水道中也能爬出来。人类应多利用天敌，如鹰、狼、蛇、猫等动物来控制鼠害。

老鼠的繁殖能力极强，母鼠怀孕期仅为14天，一胎产8只幼鼠。一对老鼠一年的子孙后代可近2万只。目前鼠的数量已大大超过世界人口的数量，人类与鼠害的斗争任务是很重的。

什么动物靠吃蚂蚁为生

shén me dòng wù kào chī mǎ yǐ wéi shēng

随心所问 白蚁是一种活动诡秘的群居性害虫，它们危害建筑物、田间作物、森林等，人们常拿它没办法；但有些动物却可以帮助我们消灭白蚁。那么，什么动物是白蚁的天敌、靠吃蚂蚁为生的呢？

精心作答

shēng zhǎng zài fēi zhōu de tǔ tún shì yì zhǒng zhuān
生长在非洲的土豚是一种专
chī mǎ yǐ de dòng wù　tā men tīng jué mǐn ruì　néng
吃蚂蚁的动物。它们听觉敏锐，能
gòu tàn tīng dào mǎ yǐ dòng zhōng fā chū de wēi ruò shēng
够探听到蚂蚁洞中发出的微弱声
yīn　shé tou yě yǒu　　mǐ cháng　chōng mǎn zhe nián yè
音，舌头也有0.3米长，充满着黏液，
shì hé tàn rù yǐ xué　yù dào yǐ xué　tǔ tún huì yòng
适合探入蚁穴。遇到蚁穴，土豚会用
zhuǎ zi páo　yòng xiàng zhū yí yàng de zuǐ qù gǒng　hěn kuài
爪子刨，用像猪一样的嘴去拱，很快
jiù jiāng yǐ qún tiǎn rù kǒu nèi tūn diào　chuān shān jiǎ hé
就将蚁群舔入口内吞掉。穿山甲和
shí yǐ shòu yě shì bǔ zhuō mǎ yǐ de hǎo shǒu
食蚁兽也是捕捉蚂蚁的好手。

大千世界

在热带丛林中生长着一种食肉的游蚁。这种蚂蚁成群结队活动，遇到动物时它们一拥而上，转瞬间就把动物啃得仅剩白骨。

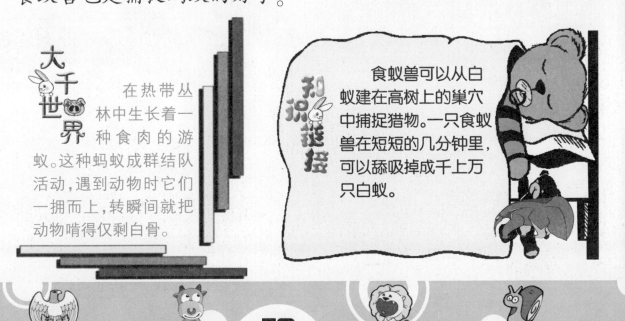

知识链接

食蚁兽可以从白蚁建在高树上的巢穴中捕捉猎物。一只食蚁兽在短短的几分钟里，可以舔吸掉成千上万只白蚁。

猪为什么总爱用鼻子乱拱
zhū wèi shén me zǒng ài yòng bí zi luàn gǒng

随心所问

动物篇

大约在9,000年以前，中国人驯化了野猪；现在家
dà yuē zài nián yǐ qián zhōng guó rén xùn huà le yě zhū xiàn zài jiā

猪已发展到90多个品种，为人们提供肉、油脂、皮毛
zhū yǐ fā zhǎn dào duō ge pǐn zhǒng wèi rén men tí gōng ròu yóu zhī pí máo

以及制药原料。人们发现，家猪养在圈里总爱用鼻子
yǐ jí zhì yào yuán liào rén men fā xiàn jiā zhū yǎng zài juàn li zǒng ài yòng bí zi

乱拱，这是为什么呢？
luàn gǒng zhè shì wèi shén me ne

精心作答

zhū yǒu pàng pàng de shēn zi　xì xiǎo de wěi ba
猪有胖胖的身子、细小的尾巴、
dà dà de ěr duo　cháng cháng de bí zi　ér qiě zǒng
大大的耳朵、长长的鼻子，而且总
ài yòng bí zi zài dì shang luàn gǒng　zhè shì yīn wèi zhū
爱用鼻子在地上乱拱。这是因为猪
de zǔ xiān　　yě zhū shēng huó zài shù lín li　bì
的祖先——野猪生活在树林里，必
xū zhěng tiān de xún zhǎo shí wù　wèi le zài tǔ li zhǎo
须整天地寻找食物。为了在土里找
dào chī de dōng xi　jīng cháng yòng bí zi gǒng kāi ní
到吃的东西，经常用鼻子拱开泥
tǔ　suī rán xiàn zài de zhū yǐ jing bù chóu chī hē　dàn
土。虽然现在的猪已经不愁吃喝，但
shì ài gǒng de xí guàn què yí chuán xià lái le
是爱拱的习惯却遗传下来了。

大千世界

猪并不是
天生就脏。它尽
可能把屎、尿便得远
离睡觉的地方，只是
被关在圈中，没办法。
它身上汗腺少，为了散
热就喜欢泡水；找不到
干净水，只好泡在
泥水中了。

知识链接

猪一向被认
为是愚蠢的动物。其实猪的
智能并不比狗差。在训练猪跳舞、
打滚、挑水、拉车、过桥时，猪看人示
范一两次就能学会；而对狗，则需要
示范十多次。有人训练了一头"警
猪"，它不但找到了罪犯深埋的毒
品和枪支，还用鼻子把它
们拱了出来。

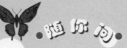
黄鼠狼是害兽还是益兽
huáng shǔ láng shì hài shòu hái shi yì shòu

动物篇

随心所问 人们常说:"黄鼠狼给鸡拜年——没安好心",这句歇后语从侧面把黄鼠狼喜欢吃鸡的特性描绘出来了,于是人们就习惯把黄鼠狼看做坏东西。那么,黄鼠狼真是害兽吗?

精心作答

不是的。黄鼠狼虽然有时会去偷鸡吃，但大多数的时候它以老鼠为食，是消灭老鼠的能手，是老鼠的天敌，对抑制鼠害大有好处。而且它的皮毛光滑鲜亮柔软，有很高的经济价值。它的尾毛沥水耐磨，是制造高级狼毫毛笔的原料。总的看来，黄鼠狼是益兽，应当得到保护。

大千世界

河北一户王姓人家捡到一只黄鼠狼幼仔，就养了起来。邻居担心它会偷鸡吃，小黄鼠狼却将半条街上的老鼠几乎捉光了。一天晚上主人带它去瓜园，正遇上刺猬偷瓜吃。来不及逃跑的刺猬忙将身子一缩，蜷成了刺球。小黄鼠狼围着它转了一圈，将屁股对准刺球有缝的地方，滋出一股臭气，小刺猬就慢慢伸开了腿，原来它被熏昏了。

知识链接

黄鼠狼属于鼬鼠家族，能够捕杀比自身大许多的动物。所有鼬鼠家族成员都长有肛线，遇敌害时能放出怪异的臭味，有御敌自卫的作用。

有袋动物有哪些

动物篇

随心所问 袋鼠的胸前有个大口袋用来哺育幼儿,那里既温暖又安全,小袋鼠们在里面快乐地成长着。当遇到危险时,袋鼠妈妈可以带着它们迅速地逃离,真是方便极了。那么,还存在哪些有袋动物呢?

精心作答

shì jiè shang gòng yǒu zhǒng zuǒ yòu de yǒu
世界上共有280种左右的有

dài dòng wù tā men zhǐ fēn bù zài ào dà lì yà xīn
袋动物,它们只分布在澳大利亚、新

xī lán hé běi měi zhōu chú le dài shǔ yǐ wài hái yǒu
西兰和北美洲。除了袋鼠以外,还有

shù dài xióng kǎo lā fù shǔ máo bí dài xióng shā
树袋熊(考拉)、负鼠、毛鼻袋熊、沙

dài shǔ děngděng zài ào dà lì yà jǐn dài shǔ jiù
袋鼠,等等。在澳大利亚,仅袋鼠就

yǒu duō zhǒng ào dà lì yà yǒu dài lèi dòng wù de
有50多种。澳大利亚有袋类动物的

tǐ xíng chā bié shí fēn dà dà de yǒu jù xíng dài shǔ
体形差别十分大,大的有巨型袋鼠,

xiǎo de què zhǐ yǒu jǐ cùn cháng
小的却只有几寸长。

负鼠是最小的有袋动物。负鼠一胎能产10多只,刚出生的负鼠仅为花生粒大小,却能马上爬到母亲的育儿袋中,含住乳头不放。长大一些,小负鼠们就爬到妈妈的背上,用自己的小尾巴钩住母兽弯向脊背的大尾巴,由妈妈背着到处活动。

澳洲袋狼的头和牙都像狼,但长着如老虎一样有条纹的皮毛,肚子上也有放幼崽的袋子。随着欧洲移民的到来,袋狼的灭顶之灾也到了。1933年,最后一只袋狼死在了猎人的陷阱里。

北极熊是如何适应寒冷的
极地生活的

随心所问

北极熊生活在寒冷的极地，它们在那里捕猎食物、繁殖后代，而且是惟一不冬眠的北方熊。它们为什么那么特别？北极熊是如何适应寒冷的极地生活的呢？

动物篇

精心作答

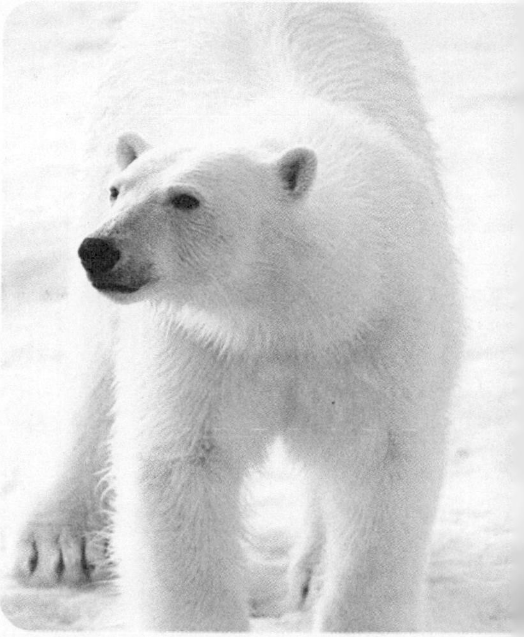

běi jí xióng shēn shang zhǎng zhe hòu hòu de róu ruǎn pí
北极熊身上长着厚厚的柔软皮
máo pí xià yǒu hěn hòu de zhī fáng céng zhè xiē kě yǐ
毛，皮下有很厚的脂肪层，这些可以
shǐ tā men dǐ yù yán hán běi jí xióng bái sè de pí máo
使它们抵御严寒。北极熊白色的皮毛
shǐ de tā men yǔ zhōu wéi de bīng xuě shì jiè róng wéi yì tǐ
使得它们与周围的冰雪世界融为一体，
hěn nán bèi rén fā xiàn yǒu lì yú bǔ shí liè wù hé bǎo hù
很难被人发现，有利于捕食猎物和保护
zì jǐ yòu zǎi chū shēng hòu jiù hé xióng mā ma yì qǐ dāi
自己。幼崽出生后就和熊妈妈一起呆
zài bīng xué li zhí dào tiān qì nuǎn huo xiē cái chū lái
在冰穴里，直到天气暖和些才出来。

你知道吗

熊会游泳，爬树，能像人一样站立行走。熊的体形粗大健壮。人遇到熊后，装死并不是安全解脱的方法，可以盯着对方，慢慢后退，当退到熊看不到时，就可逃走了。千万不可大声喊叫，否则会激起熊的兴奋，招来袭击。

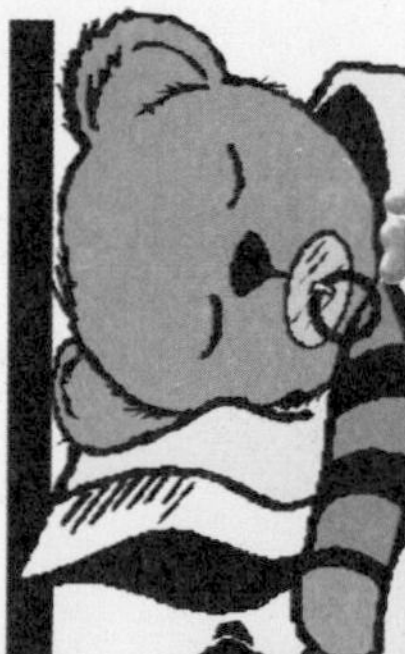

知识链接

北极熊的嗅觉极敏锐，能在1千米以外嗅到海豹的气味，等在海豹换气的冰洞口处，当海豹一露头换气，北极熊就出其不意袭击海豹。它宽大的脚掌非常适合划水，使它们能从一块浮冰游到另一块浮冰上去。

nǎ zhǒng niú bèi chēng wéi shuì jiào dà wáng
那种牛被称为"睡觉大王"

随心所问

zì gǔ yǐ lái niú biàn suí zhe rén men zǎo chū wǎn guī gēng tián lā chē xiàng
自古以来，牛便随着人们早出晚归，耕田拉车，向

lái shì yǐ chī kǔ nài láo néng gàn chū míng de kě shì nǐ tīng shuō guò yì zhǒng
来是以吃苦、耐劳、能干出名的。可是你听说过一种

jiào zuò shuì jiào dà wáng de lǎn duò de niú ma
叫做"睡觉大王"的懒惰的牛吗？

动物篇

精心作答

fēi zhōu yǒu yì zhǒng shuì niú　yǐ tān shuì chū míng
非洲有一种睡牛，以贪睡出名，

rén men chēng tā　shuì jiào dà wáng　tā měi tiān chī
人们称它"睡觉大王"。它每天吃

bǎo hē zú yǐ hòu dǎo tóu biàn shuì　yì tiān zhì shǎo yào
饱喝足以后倒头便睡，一天至少要

shuì　ge xiǎo shí　shuì niú bú huì gēng tián　bú huì lā
睡20个小时。睡牛不会耕田，不会拉

chē　shèn zhì lián lù　yě zǒu bú dòng　dàn tā néng zài duǎn
车，甚至连路也走不动。但它能在短

shí jiān nèi zhǎng dào　qiān kè zuǒ yòu　chéng wéi rén
时间内长到500千克左右，成为人

men de měi wèi jiā yáo
们的美味佳肴。

大千世界

在吉林，有人将黄牛母子同时分别卖给了一户农民和屠户。被牵走时，小牛长鸣着，一步一回头地看着母亲跟着屠户走了，自己也被拉到农民家。当天晚上屠户正烧水准备宰牛，忽然听到门外急切的牛吼声，打开门一看，正是小牛。小牛奔向母牛身边，依偎着，母牛也不断舔小牛。屠户见此，熄火罢宰。

知识链接

非洲还有一种牛喝水不用嘴而用脚。这种名叫"非罗隆多特"的牛四肢在靠近牛蹄处有一个气囊，直通胃部，它只要在水里站几分钟，体内就能吸进大量的水。马达加斯加是一个牛比人多的国家，盛产驼峰牛。全国700多万人，有牛1,000万头。

dòng wù zhōng yě yǒu hùn xuè ér ma
动物中也有混血儿吗

随心所问 植物可以通过嫁接，培育出优良品种；嫁接后的品种兼具两种植物的优点。那么，能用这种方法培育出动物吗？动物中也有混血儿吗？

精心作答

动物中也是有这种现象的，骡子就是这样繁殖出来的。骡子是马与驴的混血儿。骡子像马不是马，似驴不是驴，但它比驴高大，有力气，能干活。驴要4~5年才能达到成年体格，而骡子一周岁就接近成年体格，两岁便可干活。

大开眼界

目前，科学家已培育出彩色兔。彩色兔是从普通家兔中选出来的。有黑、白、灰、红灰、棕黄、紫蓝、褐色、银灰、米黄等各种颜色。兔毛皮皮质细密柔软，保暖如鸭绒，制品深受人们欢迎。

知识链接

骡子基本不能繁殖后代，多半没有生育能力。《本草纲目》曾载骡有5种，时至现在，仅存驴骡、马骡两种。

马的脸为什么那么长
mǎ de liǎn wèi shén me nà me cháng

动物篇

随心所问 马帮助我们拉车、耕田、比赛、打仗，它性情机警温顺，身材高大，四肢强健，善于奔跑，更为突出的是它长有一张长脸。那么，马的脸为什么那么长呢？

精心作答

马的脸长得长是生存的需要。马是吃草的动物,马的祖先在吃草时,还要警惕食肉猛兽的袭击。长的脸吃草时,不用抬头眼睛也可以观察到异常情况。久而久之,马的脸就越长越长了,而且鼻子里的嗅觉细胞也多了。

大开眼界

大草原上的马群由几个马的家族组成。每一家族都有一匹儿马子。当马群遭遇狼群时,儿马子指挥马群老幼在内、少壮在外围成圈,所有儿马子与狼殊死搏斗,将狼咬住,甩上天,摔下来,踹死。即使马群遇雷击、山火,惊了群,儿马子也会前后左右保卫家族,减少伤亡,带领马群奔向安全地带。

知识链接

马是很聪明的动物,既认识主人又记路。只要是它已走过的路,即使是岔路口也知道该怎么走,夜间也是这样。春秋时,齐桓公统帅军队追敌,在山林迷了路。管仲说,让老马走在前面,也许能走出去。果然,老马带领部队脱离了险境,正所谓"老马识途"。

猫从高处掉下来为什么摔不死

māo cóng gāo chù diào xià lái wèi shén me shuāi bù sǐ

动物篇

随心所问

小猫经常爬到高处往下跳，身体丝毫不会受伤；而狗从同样高度掉下来的话，非死即伤。那么，为什么猫从高处掉下来摔不死呢？

xiǎo māo jīng cháng pá dào gāo chù wǎng xià tiào shēn tǐ sī háo bú huì shòu shāng ér gǒu cóng tóng yàng gāo dù diào xià lái de huà fēi sǐ jí shāng nà me wèi shén me māo cóng gāo chù diào xià lái shuāi bù sǐ ne

精心作答

māo zhǎng yǒu wán shàn de píng héng qì guān cháng
猫长有完善的平衡器官。长
wěi ba yǔ jǐ zhuī gǔ xiāng lián dāng tā cóng gāo kōng
尾巴与脊椎骨相连，当它从高空
zhuì luò shí dà nǎo xùn sù bǎ xìn xī chuán dì gěi sì
坠落时，大脑迅速把信息传递给四
zhī yóu wěi ba zhǎng duò luò dì shí huì zhèng hǎo sì
肢，由尾巴掌舵，落地时会正好四
jiǎo zháo dì tā de jiǎo shang yòu zhǎng yǒu hòu hòu de
脚着地；它的脚上又长有厚厚的
ròu diàn zhuǎ zi fēn chà jiǎn qīng le luò dì de chōng jī
肉垫，爪子分岔减轻了落地的冲击，
suǒ yǐ māo cóng gāo chù diào xià lái shuāi bù sǐ
所以猫从高处掉下来摔不死。

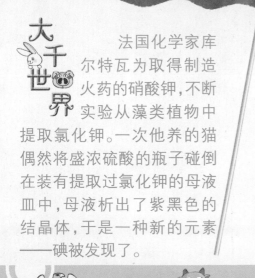

大千世界

法国化学家库尔特瓦为取得制造火药的硝酸钾，不断实验从藻类植物中提取氯化钾。一次他养的猫偶然将盛浓硫酸的瓶子碰倒在装有提取过氯化钾的母液皿中，母液析出了紫黑色的结晶体，于是一种新的元素——碘被发现了。

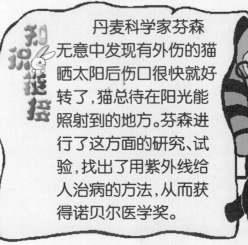

知识链接

丹麦科学家芬森无意中发现有外伤的猫晒太阳后伤口很快就好转了，猫总待在阳光能照射到的地方。芬森进行了这方面的研究、试验，找出了用紫外线给人治病的方法，从而获得诺贝尔医学奖。

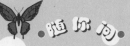

小猫为什么讲卫生
xiǎo māo wèi shén me jiǎng wèi shēng

动物篇

随心所问

xiǎo māo hěn jiǎng wèi shēng　　tā men ài gān jìng　　měi tiān yòng zhuǎ zi xǐ liǎn
小猫很讲卫生,它们爱干净,每天用爪子洗脸,

yòng shé tou shū lǐ pí máo　měi cì dōu zài gù dìng de dì fang dà xiǎo biàn　nà me
用舌头梳理皮毛,每次都在固定的地方大小便。那么,

xiǎo māo wèi shén me nà me jiǎng wèi shēng ne
小猫为什么那么讲卫生呢?

其实猫"梳洗打扮"讲卫生完全是一种生理需要。用舌头梳理皮毛可以刺激皮脂腺的分泌，使皮毛光润亮泽。将唾液涂到毛上可散发运动时所产生的热量，降低过高的体温。通过抓、舐能防止跳蚤、虱子等寄生虫上身。

你知道吗

猫为什么爱吃鱼和老鼠呢？猫在夜间活动，它的眼睛有光增强装置，瞳孔大小可调节，夜晚光线微弱也能看得清楚。这种视力需要丰富的牛黄酸，鱼和老鼠肉含有牛黄酸，猫为了补充这种物质，所以特别爱吃鱼和老鼠。

知识链接

猫掩盖粪便的行为完全是出于生存本能。猫的祖先为了防止天敌通过粪便气味发现自己而被追踪，于是就将粪便掩盖起来。现代猫只是保留了祖先的这种习性，已经没有防卫的意义了，却赢得讲卫生的好声誉。

"一丘之貉"的貉是什么动物

随心所问 "一丘之貉"的成语人们都知道,这里的"貉"专指那些同声共气、彼此之间没有什么大差别的坏人。那么,貉到底是什么动物呢?

![精心作答]

其实貉是一种很有经济价值的小动物，俗称貉子，也叫狸。貉穴在河谷山间，以鱼、鼠、虾、蟹、野果为食。它的皮毛柔密轻滑，是裘皮中的上上之选，它的尾毛是制作狼毫毛笔的极好材料，它的肉更是极品山珍。

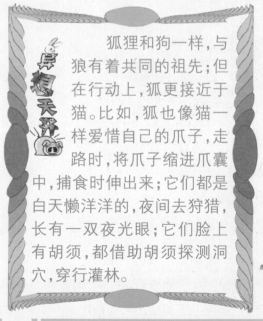

狐狸和狗一样，与狼有着共同的祖先；但在行动上，狐更接近于猫。比如，狐也像猫一样爱惜自己的爪子，走路时，将爪子缩进爪囊中，捕食时伸出来；它们都是白天懒洋洋的，夜间去狩猎，长有一双夜光眼；它们脸上有胡须，都借助胡须探测洞穴，穿行灌林。

果子狸因为长了一张黑白条纹相间的头脸，又叫花面狸。它爱吃果实，所以叫果子狸，是国家二级保护动物。目前果子狸被认为是SARS冠状病毒的主要载体，果子狸的前途令人担忧。

小蝌蚪的尾巴哪去了
xiǎo kē dǒu de wěi ba nǎ qù le

随心所问 青蛙刚刚出世的孩子——小蝌蚪，长得一点儿也不
像它们的父母，身子圆鼓鼓的，拖着一条又扁又长的
尾巴，可长大以后它的尾巴就不见了。那么，小蝌蚪的
尾巴哪去了呢？

动物篇

小蝌蚪的尾巴是被自己的"自溶作用"消化掉了。刚刚长出四肢的小蝌蚪,要靠吸收尾巴中的营养物质生活,因而这时的大尾巴就是它的食物仓库。吸收掉尾巴中的营养,小蝌蚪就长大了,变成可以到陆地上蹦蹦跳跳的青蛙了。

青蛙口渴了不喝水,只要跳到水塘中就行了。原来青蛙靠皮肤解渴,水能通过青蛙的皮肤进入青蛙体内。天热时,青蛙的皮肤要保持湿润,以便从空气中吸收氧气,因此,青蛙生存离不开水塘、稻田等地。

小蝌蚪尾巴的细胞中含有溶酶体。这种溶酶体不仅能消除进入细胞的有害物质,还能消除掉细胞外的东西。人体也有溶酶体,碰伤的皮下瘀血青块的消失就是溶酶体自溶作用的功劳。

为什么说青蛙是人类的好朋友

wèi shén me shuō qīng wā shì rén lèi de hǎo péng you

动物篇

随心所问

xiǎo qīng wā zhǎng zhe liǎng zhī dà dà de yǎn jing chuān zhe lǜ yī shang jiào qǐ lái
小青蛙长着两只大大的眼睛,穿着绿衣裳,叫起来

dù zi yì gǔ yì gǔ de tā bù jǐn yàng zi fēi cháng kě ài hái shi wǒ men rén
肚子一鼓一鼓的。它不仅样子非常可爱,还是我们人

lèi de hǎo péng you ne zhè shì wèi shén me ne
类的好朋友呢,这是为什么呢?

精心作答

青蛙是消灭害虫的能手。它的视觉
非常敏锐，只要飞虫经过眼前，便会猛
然纵身，翻出又宽又长的舌头，将虫子
卷入口中。青蛙一天捕虫可达70只，一
年要吃掉1.5万只害虫呢！连青蛙的孩
子——小蝌蚪也是捕捉孑孓的能手，一
条小蝌蚪一天能吃掉上百个孑孓呢！

大千世界

在我国湖南，曾
经发生过青蛙"大战"。
原来，天旱时青蛙是
不产卵的；一旦大雨
来临，雄蛙便在水边大声
鸣叫，招引雌蛙。结果成千
上万只青蛙齐集水塘，鸣
叫声震耳欲聋，雄抱雌的，
三两只抱一只的，因此就
形成了"大战"的局面。

知识链接

科学家研究
了青蛙眼睛只能明
察运动物体的特点，
制造出一种"电子蛙眼"，
可以分别抽取物像特征。
这种蛙眼装到雷达上，不
管是敌人的飞机、坦克，还是舰
艇、导弹，不动则已，只要它们
一动，"电子蛙眼"就能快
速准确地识别出来。

癩蛤蟆身上有毒吗

随心所问 癩蛤蟆虽然和青蛙是近亲，也"呱呱"地叫，但是它身上长着疙瘩，样子很丑，有的小朋友不喜欢它，担心它身上有毒。那么，癩蛤蟆身上真的有毒吗？

动物篇

精心作答

lài há ma zhēn zhèng de míng zi jiào chán chú
癞蛤蟆真正的名字叫蟾蜍。

tā de pí fū néng fēn mì yì zhǒng bái sè de jiāng
它的皮肤能分泌一种白色的浆

yè zhè shì tā yòng lái bǎo hù zì jǐ de wǔ qì
液，这是它用来保护自己的武器，

duì mǒu xiē xiǎng chī tā de xiǎo dòng wù shì yǒu dú
对某些想吃它的小动物是有毒

de rú guǒ zhān dào rén de shǒu shang yòng qīng shuǐ
的；如果沾到人的手上，用清水

chōng xǐ yí xià jiù kě yǐ le bú huì yǐn qǐ shén
冲洗一下就可以了，不会引起什

me má fan mō le lài há ma jì bú huì zhǎng
么麻烦。摸了癞蛤蟆既不会长

lài yě bú huì zhòng dú
癞，也不会中毒。

奇思妙想

1782年，在法国巴黎郊外的采石场，有一个工人敲碎了一块岩石，里面竟然有4只活的蟾蜍。这4只蟾蜍是在泥洞里冬眠时，遇上了地壳变迁被埋在了地底下。经过数万年，劈开石头，它们才重见天日。

知识链接

蟾蜍是人类的朋友。一只蟾蜍一个夏季就可以吃掉一万多只害虫。从蟾蜍腺体中采集到的乳白色汁液是贵重的中药材，可加工成"蟾酥"。小朋友可要爱护蟾蜍，再不要用石块砸它了。

蜗牛为什么要背着房子走
wō niú wèi shén me yào bēi zhe fáng zi zǒu

随心所问

雨天过后，房前屋后的草地上，常常会看到蜗牛背着它的房子慢慢地爬出来晒太阳。它走到哪里，就把房子背到哪里。那么，蜗牛为什么要背着房子走呢？

动物篇

精心作答

wō niú yuán lái shēng huó zài shuǐ zhōng　hòu lái
蜗牛原来生活在水中，后来
yóu yú shēng cún huán jìng fā shēng le biàn huà　cái
由于生存环境发生了变化，才
dào lù dì shang shēng huó　wō niú de shēn tǐ ruǎn
到陆地上生活。蜗牛的身体软
ruǎn de　shuǐ fèn hěn duō　yǒu le ké　kě yǐ bǎo
软的，水分很多；有了壳，可以保
hù zì jǐ de shēn qū　yù dào wēi xiǎn　jiù duǒ jìn
护自己的身躯。遇到危险，就躲进
ké zhōng　liè rì yán yán shí　jiù fēn mì nián yè
壳中；烈日炎炎时，就分泌黏液；
bǎ ké mì fēng qǐ lái　bǎo cún tǐ nèi shuǐ fèn　yě
把壳密封起来，保存体内水分，也
bú yòng hài pà bèi shài gān le
不用害怕被晒干了。

世界上共有蜗牛2,500多种。这种动物耐饥能力很强，有实验证实，有的蜗牛4年不吃东西也饿不死。它们吃树以及农作物的叶、根，是间歇性农业害虫，也是一些寄生虫的中间宿主。一些大型蜗牛肉鲜美，可食用。

蜗牛长有两对柔软的触角，用处可大了。它能帮助蜗牛闻气味找到食物；还能帮蜗牛探路，一有危险，就马上通知蜗牛缩进壳里去。这对触角的顶端还各长有一只眼睛。

世界上最长的是什么蛇
shì jiè shang zuì cháng de shì shén me shé

随心所问 全世界共有蛇类3,000多种，其中有的蛇有毒，也有的
quán shì jiè gòng yǒu shé lèi　　　duō zhǒng　qí zhōng yǒu de shé yǒu dú　yě yǒu de

蛇没毒。它们有的大，有的小，粗细长短的差别很大。那
shé méi dú　tā men yǒu de dà　yǒu de xiǎo　cū xì cháng duǎn de chā bié hěn dà　nà

么，最长的是什么蛇呢？
me　zuì cháng de shì shén me shé ne

精心作答

mǎng shé shì xiàn jīn shì jiè shang zuì cháng de shé
蟒蛇是现今世界上最长的蛇，
yě shì xiàn zài lù dì shang zuì cháng de dòng wù yì tiáo
也是现在陆地上最长的动物，一条
shuǐ mǎng de cháng dù kě dá mǐ yǐ shàng mǎng yì bān
水蟒的长度可达11米以上。蟒一般
shēng huó zài zhōng guó ào dà lì yà nán tài píng yáng de
生活在中国、澳大利亚、南太平洋的
yì xiē dǎo yǔ yǐ jí xī fēi děng rè dài wēn dài dì qū
一些岛屿以及西非等热带、温带地区，
shì yì zhǒng dà xíng de pá xíng dòng wù rén men dōu rèn wéi
是一种大型的爬行动物。人们都认为
mǎng shé hěn wēi xiǎn shí jì shang zhè zhǒng shé méi yǒu dú
蟒蛇很危险，实际上这种蛇没有毒。

大开眼界

在非洲，蟒蛇生活在洞穴中。当地人为了捉蟒用人做诱饵去钓它。由两个人分别拽住一人的两只胳膊，把这个人的下半身放到蛇洞中。蟒蛇见有入侵者，就会缠住这个人。地上的两个人往上拉洞中人，人就将蟒一起带出了洞，上百斤重的大蟒就落入了人的圈套。

知识链接

在许多地方，人们为了获取蟒皮而大量捕杀蟒蛇，加上栖息地的破坏，蟒蛇已经越来越少。比如印度蟒已成为濒危的蛇种之一。

wèi shén me shé bù chī bù hē
为什么蛇不吃不喝
yě néng huó hěn cháng shí jiān
也能活很长时间

随心所问 蛇有很强的忍饥耐饿的本领。当缺少食物时，它可以半年不吃东西。据说有一条蟒饿了2年零9个月才死去。如果喝水，耐饿的本领还可以提高一倍。那么，为什么蛇不吃东西也能活下去呢？

动物篇

精心作答

shé shì lěng xuè biàn wēn dòng wù   tā xiāo hào de néng
蛇是冷血变温动物，它消耗的能

liàng shǎo   xī shōu yíng yǎng de běn lǐng què hěn dà   lì rú
量少，吸收营养的本领却很大。例如

fù shé   néng yì kǒu qì lián tūn sì wǔ zhī xiǎo bái shǔ   kě
蝮蛇，能一口气连吞四五只小白鼠，可

yǐ tūn xià bǐ zì jǐ tóu bù dà   bèi de niǎo shé xiāo huà
以吞下比自己头部大10倍的鸟。蛇消化

le shí wù biàn jiāng yǎng fèn zhù cún zài tǐ nèi   dōng mián shí
了食物便将养分贮存在体内。冬眠时

xiāo hào de gèng shǎo   tǐ zhòng jǐn jiǎn shǎo   zuǒ yòu suǒ
消耗的更少，体重仅减少2%左右。所

yǐ shé bù chī bù hē yě néng huó hěn cháng shí jiān
以蛇不吃不喝也能活很长时间。

过冬时，蛇往往是几十条、几百条聚集到一起，找一个洞穴一起冬眠。原来蛇的体温随外界温度的变化而变化，散居的蛇往往会被冻死。而群居冬眠能使周围温度增高2℃左右，还可以减少水分损耗，降低体内能量损耗，增加生存机会。

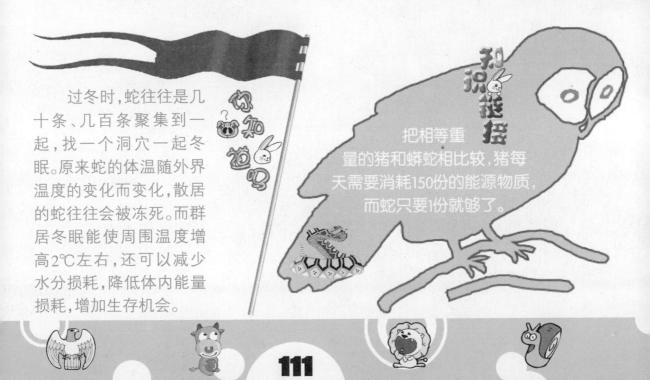

把相等重量的猪和蟒蛇相比较，猪每天需要消耗150份的能源物质，而蛇只要1份就够了。

鳄鱼的嘴边为什么有小鸟
è yú de zuǐ biān wèi shén me yǒu xiǎo niǎo

随心所问? 在热带河流附近，人们常常可以看到鳄鱼张着血盆大口，懒洋洋地趴在岸边晒太阳，有一种小鸟竟然飞到鳄鱼的嘴里去了。那么，这是怎么回事呢？

动物篇

精心作答

xiōng cán de è yú chī diào xiǎo dòng wù hòu
凶残的鳄鱼吃掉小动物后，
yá fèng li cán liú zhe ròu zhā hěn bù shū fu tā
牙缝里残留着肉渣，很不舒服，它
zhāng dà le zuǐ jiù huì yǒu yì zhǒng shí ròu de xiǎo
张大了嘴，就会有一种食肉的小
niǎo fēi lái bǎ tā yá fèng li de shí wù cán zhā gè
鸟飞来把它牙缝里的食物残渣鸽
chī de gān gān jìng jìng xiǎo niǎo hái wèi è yú fàng
吃得干干净净。小鸟还为鳄鱼放
shào fā xiàn yì cháng qíng kuàng jiù jīng fēi le è
哨，发现异常情况就惊飞了，鳄
yú gǎn jué dào le jiù gǎn kuài táo pǎo zhè zhǒng niǎo
鱼感觉到了就赶快逃跑。这种鸟
jiào qiān niǎo shì è yú de péng you
叫"千鸟"，是鳄鱼的朋友。

有时，慵懒的鳄鱼忘记了口中的小鸟，闭上了嘴，千鸟也并不惊慌，它用翅膀上坚硬的羽毛在鳄鱼口中碰一碰，鳄鱼就又张开了大嘴，让小千鸟继续为它清洁口腔。

鳄鱼是地球上年龄最大的动物种类之一。它和6,500万年前统治地球的恐龙是一个家族。我国的扬子鳄，被人们称为爬行动物的活化石，是国家一级保护动物。

yú wèi shén me lí bù kāi shuǐ
鱼为什么离不开水

随心所问 鱼终生都要在水中生活。在水里，它们可以自
yú zhōng shēng dōu yào zài shuǐ zhōng shēng huó zài shuǐ li   tā men kě yǐ zì

由地来去，但只要离开了水，不久就会死掉。那么，鱼为什
yóu de lái qù dàn zhǐ yào lí kāi le shuǐ bù jiǔ jiù huì sǐ diào nà me   yú wèi shén

么总是离不开水呢？
me zǒng shì lí bù kāi shuǐ ne

动物篇

精心作答

yīn wèi yú méi yǒu fèi　　tā men zài shuǐ zhōng
因为鱼没有肺，它们在水中
yī kào sāi lái gěi zì jǐ tí gōng yǎng qì　dàn
依靠鳃来给自己提供氧气。但
shì　yú sāi zhǐ néng xī shōu shuǐ zhōng de wēi bó
是，鱼鳃只能吸收水中的微薄
yǎng qì　pái chū èr yǎng huà tàn　ér bù néng zhí
氧气，排出二氧化碳，而不能直
jiē cóng yǎng qì mì dù dà de kōng qì zhōng qù xī
接从氧气密度大的空气中去吸
qǔ yǎng qì　suǒ yǐ　yú yí dàn lí kāi shuǐ　jiù
取氧气。所以，鱼一旦离开水，就
huì yīn quē yǎng ér sǐ qù
会因缺氧而死去。

大千世界

澳大利亚的沙锥齿鲨鱼，是一种相当温和的鲨鱼，它从不攻击人类，更不吃人。但是因长得像食人鲨，而被人们狂捕滥杀。澳政府最近公告，如果不采取强力保护措施，沙锥齿鲨鱼将在6年内灭绝。

知识链接

世界上最大的鱼是鲸鲨，能长到18米长，体重超过40吨。最小的鱼叫虾虎鱼，体长只有11毫米，体重仅0.04克。

shān hú shì dòng wù hái shì zhí wù
珊瑚是动物还是植物

随心所问 珊瑚礁长在热带海洋的浅水水域里，美丽得就像神奇的海底花园；做成盆景的珊瑚，被人们称为珊瑚树。那么，珊瑚是动物还是植物呢？

动物篇

精心作答

shān hú chóng shì　yì zhǒng hěn xiǎo de　dī děng qiāng
珊 瑚 虫 是 一 种 很 小 的 低 等 腔

cháng dòng wù　　shān hú jiāo shì yóu shān hú chóng hé shān hú
肠 动 物。珊 瑚 礁 是 由 珊 瑚 虫 和 珊 瑚

chóng de shī gǔ jù jí ér chéng de　shān hú chóng jí tǐ
虫 的 尸 骨 聚 集 而 成 的。珊 瑚 虫 集 体

shēng huó zài yì qǐ　yì qún qún jù jí qǐ lái　xíng zhuàng
生 活 在 一 起，一 群 群 聚 集 起 来，形 状

xiàng shù zhī yí yàng　shān hú chóng zhǎng dà hòu huì xíng chéng
像 树 枝 一 样。珊 瑚 虫 长 大 后 会 形 成

yì zhǒng huán zhuàng gǔ jià　sǐ hòu bǎo liú xià lái　shān
一 种 环 状 骨 架，死 后 保 留 下 来，珊

hú jiāo jiù shì yóu zhè wú shù ge xiǎo gǔ jià gòu chéng de
瑚 礁 就 是 由 这 无 数 个 小 骨 架 构 成 的。

珊瑚除了可以制成精美的艺术品外，还可以用来建造房屋、烧制水泥、铺路。古珊瑚常可以用来判断地质年代，寻找储油层。珊瑚含钙98%，与人骨接近，医生用珊瑚骨接装伤残患者的腿骨和颌骨，效果很好。有的珊瑚能提炼出前列腺素做药。

我国的西沙群岛、南沙群岛就是由珊瑚形成的岛屿；马尔代夫和斐济整个国家就建在珊瑚岛上。

海洋中最大的动物是什么

hǎi yáng zhōng zuì dà de dòng wù shì shén me

随心所问 现在陆地上最大的动物是象。象的体积已经够庞大的了,但是在海洋中还有比它更庞大的动物。那么,海洋里最大的动物是什么呢?

精心作答

lán jīng shì hǎi yáng zhōng zuì dà de dòng wù
蓝鲸是海洋中最大的动物。

tā néng zhǎng dào duō mǐ cháng tǐ zhòng kě dá
它能长到30多米长,体重可达

duō dūn cóng bí kǒng pēn chū de shuǐ zhù yǒu
100多吨。从鼻孔喷出的水柱有15

mǐ gāo yuǎn yuǎn wàng qù jiù xiàng pēn quán lán
米高,远远望去,就像喷泉。蓝

jīng de lì qì hěn dà xiāng dāng yú huǒ chē tóu nà
鲸的力气很大,相当于火车头那

me yǒu jìn yòu jīng shēng xià lái tǐ cháng jiù dá
么有劲。幼鲸生下来体长就达

mǐ zhòng yuē dūn chī jīng mā ma yì tiān
7.5米,重约6吨。吃鲸妈妈一天

nǎi xiǎo lán jīng jiù néng zēng zhòng qiān kè
奶,小蓝鲸就能增重100千克。

蓝鲸不仅是最大的哺乳动物,也是从古到今最大的动物。这种鲸光是心脏就有600~700千克,肺有1,500千克,舌头重3吨,血液的总量有8~9吨重,肠子拉直有200多米长,每昼夜要吃4~5吨重的鱼、虾、藻类等食物。

蓝鲸浑身是宝。一头蓝鲸可产油30多吨,相当于1,700头猪或8,000只羊的脂肪总量。鲸肉鲜美;鲸骨、内脏可入药,可制作优质肥料;鲸皮能制作皮鞋、皮包、皮衣等。

wèi shén me shuō jīng bú shì yú
为什么说鲸不是鱼

随心所问

jù dà de jīng shēng huó zài hǎi yáng zhōng yǒu zhe hé yú yí yàng de shēn qū
巨大的鲸生活在海洋中,有着和鱼一样的身躯,

tā yě yǐ yú xiā zǎo lèi děng hǎi yáng shēng wù wéi shí kě shì jīng què bù shǔ
它也以鱼、虾、藻类等海洋生物为食。可是鲸却不属

yú yú lèi zhè shì wèi shén me ne
于鱼类,这是为什么呢?

动物篇

精心作答

鲸是生活在海洋中的巨大海兽。说它不是鱼类，是因为：鱼类用鳃来呼吸，鲸用肺呼吸，鲸每隔10分钟左右就要浮出水面换一次气；另外，鱼是卵生，而鲸是胎生，鲸妈妈还用乳汁来喂养小鲸鱼呢——这些都是哺乳动物的特征。

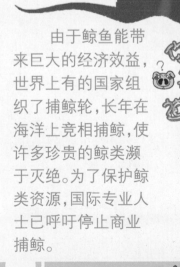

你知道吗

由于鲸鱼能带来巨大的经济效益，世界上有的国家组织了捕鲸轮，长年在海洋上竞相捕鲸，使许多珍贵的鲸类濒于灭绝。为了保护鲸类资源，国际专业人士已呼吁停止商业捕鲸。

知识链接

鲸类中也有小个头的，如分布在我国长江中下游以及印度洋的江豚，身长只有1.5米左右。鲸也不是自古以来就很大。它们是7,000万年前进入海洋的，当时并不很大，到了4,000万年前，就完全适应了海洋生活，并且产生了长达33米的巨鲸了。

121

中华鲟住在什么地方
zhōng huá xún zhù zài shén me dì fang

随心所问 中华鲟的故乡是中国,这种鱼也是我国特有的
zhōng huá xún de gù xiāng shì zhōng guó zhè zhǒng yú yě shì wǒ guó tè yǒu de

古老的珍稀鱼种。人们要见它一面可不容易。那么,
gǔ lǎo de zhēn xī yú zhǒng rén men yào jiàn tā yí miàn kě bù róng yì nà me

神秘的中华鲟住在什么地方呢?
shén mì de zhōng huá xún zhù zài shén me dì fang ne

动物篇

精心作答

zhōng huá xún de mā ma zài cháng jiāng shàng yóu
中华鲟的妈妈在长江上游
chǎn luǎn xiǎo zhōng huá xún zhù zài jiāng hé zhōng děng
产卵,小中华鲟住在江河中,等
shāozhǎng dà yì diǎnr le tā men jiù yuǎn yóu dào dà
稍长大一点儿了,它们就远游到大
hǎi zhōng qù fā yù chéng zhǎng duō nián yǐ hòu tā
海中去发育成长,10多年以后它
men yòu xiàng dāng nián zì jǐ de fù mǔ yí yàng cóng
们又像当年自己的父母一样,从
hǎi yáng huí yóu dào lǎo jiā cháng jiāng shàng yóu de jīn shā
海洋洄游到老家长江上游的金沙
jiāng qù fán zhí hòu dài tā men jiù shì zhè yàng yí dài
江去繁殖后代。它们就是这样一代
yí dài guò zhe huí yóu qiān xǐ de shēng huó
一代过着洄游迁徙的生活。

你知道吗

远在周代,人们称中华鲟为鲔鱼。中华鲟的寿命很长,能活一二百年。但由于拦江筑坝以及过量捕捞等原因,中华鲟数量已经很少了,目前被列为国家一级保护动物,并开展人工繁育工作。

知识链接

中华鲟的体重能长到二三百千克,体长能长到2米以上。中华鲟肉质鲜美,卵可制成鱼子酱,这种鱼子酱是珍贵的食品。中华鲟也因此遭遇灭顶之灾。

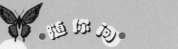
哪些动物像鱼而不是鱼

nǎ xiē dòng wù xiàng yú ér bú shì yú

随心所问 有些动物因为经常或终生生活在水中,所以常常被不了解情况的人们误认为是鱼类。那么,有哪些动物生活在水中、像鱼而不是鱼呢?

动物篇

精心作答

chú le jīng yǐ wài　hái yǒu hǎi tún　hǎi bào
除了鲸以外，还有海豚、海豹、

hǎi shī　hǎi xiàng　hǎi gǒu děng　dōu shì shēng huó zài
海狮、海象、海狗等，都是生活在

hǎi yáng zhōng de hǎi shòu　shǔ yú bǔ rǔ dòng wù　tā
海洋中的海兽，属于哺乳动物。它

men suī rán zhǎng zài shuǐ zhōng　dàn dōu yòng fèi hū xī
们虽然长在水中，但都用肺呼吸，

dōu xū yào dào shuǐ miàn shang huàn qì　chú le jīng hé
都需要到水面上换气。除了鲸和

hǎi tún yǐ wài　hǎi bào　hǎi shī děng hǎi shòu huì jīng
海豚以外，海豹、海狮等海兽会经

cháng dào shā tān shang lái　qī xī hé fán zhí
常到沙滩上来栖息和繁殖。

有一个美国人喂养了一只小海豹。小海豹很讲卫生，每次从外边回家，都会从衣柜底下叼出主人专为它准备的油布，然后趴上去，直到湿淋淋的身子干了再进屋。这只小海豹常听主人唱歌，它也能随着琴声哼哼，虽然发音含糊，音调却很准呢！

鲍鱼、贻贝、蚌和乌贼等水生动物也不是鱼类，它们是生活在水中的软体动物。

怎样分辨鱼的年龄
zěn yàng fēn biàn yú de nián líng

随心所问

生活在水中的鱼，除了形体有大有小以外，也和其它动物一样，有自己的年龄。那么，我们怎样才能分辨出它们各自的年龄呢？

动物篇

精心作答

鱼的年龄的秘密就写在鱼鳞上。每一片鱼鳞上都有一圈圈弧线形的年轮，这是鱼鳞一年一年向外长大而形成的。我们要想知道鱼的年龄，只需要仔细地去观察一下鱼鳞，认真地数一数它上面的圈数，就知道鱼的年龄了。

奇思妙想

有些鱼的鳞已经退化，变成覆盖在表体上的黏液层。这层黏液能防细菌、霉菌、寄生虫的入侵；还能使鱼的皮肤不透水，保持体内渗透压不变，使洄游鱼类适应水中盐度的变化。黏液又是逃生的一个法宝，使鱼游得又快又灵活。

知识链接

鱼鳞是鱼的表皮，是鱼类为适应环境、保护自己而生的屏障。例如鲱鱼、沙丁鱼，当它们被天敌咬住时，就会脱掉鳞片，迅速逃之夭夭。

章鱼和鱿鱼有什么区别

章鱼和鱿鱼长得差不多，都有圆圆的头、长长的触脚，常有人错把它们当做同一种软体动物。那么，它们之间究竟有什么区别呢？

精心作答

章鱼和鱿鱼是近亲，所以很相像。章鱼长有8条触脚，嘴巴隐藏在触脚的末端下面。章鱼可以长到5米左右。鱿鱼又叫乌贼，长有10条触脚，比章鱼多了两条。其中有两条特别长，末端还带有吸盘。最大的鱿鱼可以长到20米以上。

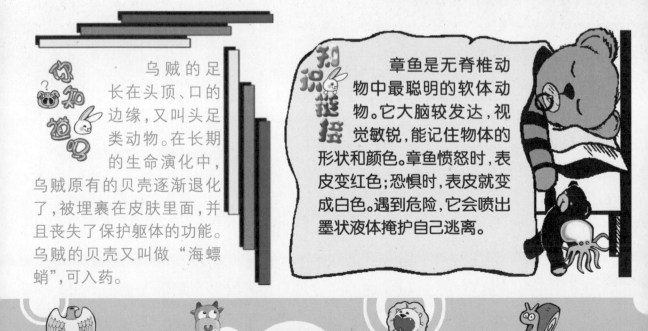

你知道吗

乌贼的足长在头顶、口的边缘，又叫头足类动物。在长期的生命演化中，乌贼原有的贝壳逐渐退化了，被埋裹在皮肤里面，并且丧失了保护躯体的功能。乌贼的贝壳又叫做"海螵蛸"，可入药。

知识链接

章鱼是无脊椎动物中最聪明的软体动物。它大脑较发达，视觉敏锐，能记住物体的形状和颜色。章鱼愤怒时，表皮变红色；恐惧时，表皮就变成白色。遇到危险，它会喷出墨状液体掩护自己逃离。

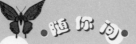

大王乌贼为什么好斗
dà wáng wū zéi wèi shén me hào dòu

随心所闻 大王乌贼在海中的游速可达36千米/小时，可是当遇到游速只有10千米/小时的抹香鲸时，却不肯退避，非要苦苦恋战，直到弄得两败俱伤。那么，大王乌贼为什么这么好斗呢？

精心作答

大王乌贼生活在深海中,成年大王乌贼的体长一般都在20多米以上。科学家认为它之所以好斗、富有侵略性是由于它总是处于饥饿状态的原故。它的大脑很发达,新陈代谢旺盛,能量消耗大,为了得到更多的食物,就只有主动进攻了。

大千世界

海兔是生活在浅海的软体动物。它的贝壳与乌贼一样也退化成角质、埋在背部外膜下。海兔吃红色的海藻就变红色,吃紫色的海藻,就变蓝墨色,与周围栖息环境极为相似。海兔分泌的胶质卵是营养丰富的食品,被称为"海粉丝",又是消炎清热的良药。

知识链接

乌贼的游泳速度异常惊人。它的游泳原理和火箭飞行原理很相似,遇到险情或追捕食物时,就会以15米/秒的高速后退达到自己的目的。人们受乌贼的启发,设计制造出一种喷水船。

hǎi tún wèi shén me huì jiù rén
海豚为什么会救人

动物篇

nián yì míng bǎo jiā lì yà chuán yuán bù xiǎo xīn diào dào le hǎi li hǎi
1966年一名保加利亚船员不小心掉到了海里。海
shàng fēng làng hěn dà chuán shàng de shuǐ shǒu jí de shù shǒu wú cè zhè shí lái le yì
上风浪很大，船上的水手急得束手无策。这时来了一
qún hǎi tún wéi chéng quān tuō qǐ le luò shuǐ de chuán yuán zhí dào tā bèi jiù shàng chuán
群海豚围成圈，托起了落水的船员，直到他被救上船
hǎi tún cái lí qù nà me hǎi tún wèi shén me huì jiù rén ne
海豚才离去。那么，海豚为什么会救人呢？

精心作答

海豚救人是一种无意识的本能行为。海豚在水中待一段时间必须浮上水面换气。小海豚出生后，海豚妈妈首先要托起孩子到水面呼吸。久而久之，海豚养成了习惯，凡是碰到不太动的物体就以吻部去推；遇到落水的人就会本能地托起，从而使人获救。

奇思妙想

海豚在水中睡觉时，依然运动。原来它的大脑的两个半球在轮流值班，一半休息，一半清醒，这样它的呼吸就不间断，不停止。海豚大脑发达，智力超过黑猩猩，是最聪明的动物。

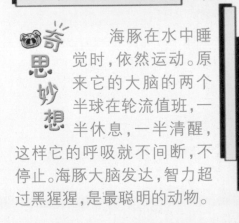

知识链接

50多年前，在太平洋上，被敌机击落的4个美军飞行员跳上皮艇，正要划动，船却已被推着向岸边行进，大家吃了一惊，一看，原来是海豚在帮忙。

小鱼能吃掉大鱼吗
xiǎo yú néng chī diào dà yú ma

人们常说"大鱼吃小鱼，小鱼吃虾米"。大的吃掉小的，强的吃掉弱的，这是生物界的一般规律。可是也有相反的现象，小鱼能够吃掉大鱼。这是真的吗？

134

精心作答

在广阔的海洋中生活着一种奇特的鳗鱼，叫做七鳃鳗。这种鱼是地球上出现得最早的脊椎动物之一。它的口像吸盘，里边长着锉刀一样的牙齿。它能吸附到比它大几倍、十几倍的大鱼身上，咬伤大鱼，然后把它的血吸干，再慢慢地吃掉它。

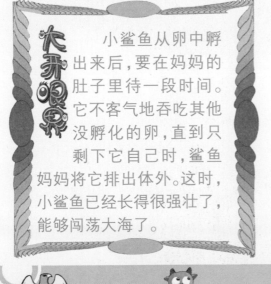

大开眼界

　　小鲨鱼从卵中孵出来后，要在妈妈的肚子里待一段时间。它不客气地吞吃其他没孵化的卵，直到只剩下它自己时，鲨鱼妈妈将它排出体外。这时，小鲨鱼已经长得很强壮了，能够闯荡大海了。

知识链接

　　与七鳃鳗有相同本领的还有盲鳗。它从大鱼的鳃部钻进大鱼的腹腔，先吃内脏，后吃肌肉。这种鱼由于经常在大鱼腹腔活动，见不到阳光，两眼已退化。

jīn yú shì cóng nǎ li lái de
金鱼是从哪里来的

随心所问

měi lì de jīn yú　zhǎng zhe gǔ gǔ de yǎn jing　tǐ duǎn ér féi　yì bān dōu yǒu
美丽的金鱼，长着鼓鼓的眼睛，体短而肥，一般都有

kuān dà de wěi qí　yóu yú xíng tǐ hé yóu zī shí fēn yōu měi　suǒ yǐ cháng bèi rén men
宽大的尾鳍。由于形体和游姿十分优美，所以常被人们

yǎng zài jiā zhōng　nà me　jīn yú shì cóng nǎ li lái de ne
养在家中。那么，金鱼是从哪里来的呢？

动物篇

精心作答

金鱼又叫金鲫鱼，是由鲫鱼
的一个品种演化而成的观赏
鱼类。金鱼起源于我国。由于人
工喂养，生活安逸，金鱼的身体
变短变鼓，行动迟缓，尾鳍逐
渐宽大。经过长期人工培育选
择，产生了许多著名的品种。

金鱼不仅形体特殊，外观美丽，还有特异的生存本领：可以在严重缺氧时活上好几天，这是其他动物都做不到的。金鱼体内具有无氧代谢的机制，这是金鱼在长期进化中形成的适应环境的特异功能。

你知道吗

知识链接

金鱼可分四类：草金，体型、尾鳍与普通鲫鱼相同；文金，鳍分岔、体型像"文"字；龙种，体型粗短、泡眼、鳍散张；蛋金，体型短粗、似蛋型、背无鳍。

hǎi yáng hēi àn de dǐ bù hái yǒu yú ma
海洋黑暗的底部还有鱼吗

随心所问 hǎi yáng dǐ bù shì yí ge bīng lěng hēi àn de shì jiè yáng guāng zhào bú
海洋底部是一个冰冷黑暗的世界，阳光照不

dào nà li wēn nuǎn sòng bú dào nà li shí wù yě hěn shǎo zài zhè yàng cán
到那里，温暖送不到那里，食物也很少。在这样残

kù de huán jìng xià nà li hái yǒu yú ma
酷的环境下，那里还有鱼吗？

精心作答

shēn hǎi li zhào yàng shì yú de shì jiè zhǐ
深海里照样是鱼的世界，只
shì pǐn zhǒng bù tóng bà le nà li de yú yì
是品种不同罢了。那里的鱼一
bān gè tóu jiào xiǎo què dōu zhǎng zhe yì zhāng dà
般个头较小，却都长着一张大
zuǐ néng bǔ dào xǔ duō shí wù rú kuān yān yú
嘴，能捕到许多食物。如宽咽鱼，
tā de tóu lú chú le dòu yí yàng de yǎn jing jiù
它的头颅除了豆一样的眼睛，就
shì yì zhāng jù dà de zuǐ ba néng tūn xià gèng
是一张巨大的嘴巴，能吞下更
dà de yú tā hái yǒu yí ge néng kuò zhāng de
大的鱼。它还有一个能扩张的
wèi kě yǐ róng nà xià jiào duō de shí wù
胃，可以容纳下较多的食物。

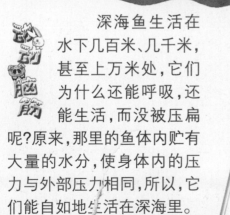

深海鱼生活在水下几百米、几千米，甚至上万米处，它们为什么还能呼吸，还能生活，而没被压扁呢?原来，那里的鱼体内贮有大量的水分，使身体内的压力与外部压力相同，所以，它们能自如地生活在深海里。

发光是深海鱼类赖以生存的重要方式。在海下200~2,000米深的区域里，光线极其微弱，为了适应生存，一些海鱼自身具有发光系统，用以捕食以及识别同类，进行交配。

hǎi mǎ shì yú ma
海马是鱼吗

随心所问 shēng huó zài hǎi li de hǎi mǎ zhǎng zhe xiàng mǎ yí yàng de tóu liǎn shēn tǐ wān
生活在海里的海马长着像马一样的头脸,身体弯
qū zhe bìng bèi gǔ zhuàng kuī jiǎ fù gài zhe wài xíng kàn qǐ lái shí fēn gǔ guài nà
曲着,并被骨状盔甲覆盖着,外形看起来十分古怪。那
me hǎi mǎ shì yú ma
么,海马是鱼吗?

动物篇

精心作答

海马确实是生活在温带海域中的鱼类。它们活动在浅海海域，在海水中靠扇动背鳍让身子垂直地上下游动。它常常把尾巴缠在海底的水草上，以便停留在水中用长长的嘴巴吸食小虾和浮游生物。

海马是由雄海马来代替雌海马养育后代的。雌海马将卵产在雄海马的育儿袋内，一个多月后，小海马就从爸爸的育儿袋内孵化出来了。

在澳大利亚附近的海洋中，有一种叫做海龙的动物，也是海马的一种。这种动物身长1.5米，全身上下长着类似树叶的伪装物，乍一看，会以为是植物呢，细看，还真有些像飞腾的龙呢！

罗非鱼是怎样繁殖后代的

luó fēi yú shì zěn yàng fán zhí hòu dài de

随心所问 鱼靠产卵繁殖后代,但产在水中的卵常常被风浪冲走,或被敌害吞食,所以孵化率低。但是,罗非鱼却有好办法孵化后代。那么,罗非鱼是怎样繁殖后代的呢?

动物篇

精心作答

luó fēi yú huì bǎ shòu jīng de luǎn xiǎo xīn de tūn
罗非鱼会把受精的卵小心地吞
dào kǒu zhōng jìn xíng fū huà　hū xī shí　ràng shuǐ liú tōng
到口中进行孵化。呼吸时，让水流通
guò sāi cóng kǒu qiāng jīng guò　bǎo zhèng yǎng　qì gōng yìng
过鳃从口腔经过，保证氧气供应。
dāng zǐ yú fū chū bìng néng yóu dòng shí　luó fēi yú cái
当仔鱼孵出并能游动时，罗非鱼才
bǎ tā men cóng kǒu zhōng tǔ chū lái　yù yǒu wēi xiǎn yòu
把它们从口中吐出来；遇有危险又
mǎ shàng jiāng xiǎo yú tūn rù kǒu nèi　yì zhí dào xiǎo yú
马上将小鱼吞入口内；一直到小鱼
néng dú lì shēng huó　cái ràng tā men lí kāi zì jǐ
能独立生活，才让它们离开自己。

大千世界

鱼类在幼小的时候，很容易夭折。鱼的父母一般都不太关心子女，大量的卵，还没孵出小鱼，就可能被其他鱼吃掉了，被风浪打走了；有幸出世的小鱼，也随时有被吃掉的危险，仅有百分之几的小鱼能长大。因此，为繁衍后代，鱼都有惊人的生殖能力，一次能排卵几万、几十万粒。

知识链接

我国南海的天竺鲷鱼，雄鱼将雌鱼排的卵一粒一粒含入口中孵化，10多天里它都要忍饥挨饿，不能吃东西，一直到小天竺鲷鱼出世。

海鱼的肉为什么不咸
hǎi yú de ròu wèi shén me bù xián

随心所问 当我们把食品放到盐水里,食品就变咸了。而海水是咸的,海洋中的动物从小生活在盐水里,靠喝海水生活,可它们的肉却不是咸的,这是为什么呢?

动物篇

144

精心作答

hǎi yáng shēng wù gè yǒu gè de pái yán
海洋生物各有各的"排盐

fǎ qǐ é de bí zi zhōng yǒu hěn duō xiàn tǐ
法"。企鹅的鼻子中有很多腺体，

duō yú de yán fèn jiù suí bí tì pái chū tǐ wài hǎi
多余的盐分就随鼻涕排出体外。海

yú yì fāng miàn kào pí fū shang de nián yè hé lín piàn
鱼一方面靠皮肤上的黏液和鳞片

zǔ zhǐ yán shuǐ xiàng tǐ nèi shèn tòu lìng yì fāng miàn
阻止盐水向体内渗透，另一方面

kào sāi de mì yán xì bāo jiāng xuè yè zhōng de yán fèn
靠鳃的泌盐细胞将血液中的盐分

pái chū tǐ wài cóng ér bǎo zhèng tǐ nèi bú huì yǒu
排出体外，从而保证体内不会有

guò duō de yán fèn
过多的盐分。

奇思妙想

在淡水资源日趋紧张的今天，人类应该认真向这些海洋生物学习，学习它们的排盐法，利用海水取得更多的淡水，岂不妙哉！

知识链接

海龟也是喝海水的。它们体内多余的盐分靠眼窝后边的"盐腺"排出去。人们看海龟总像在流眼泪，实际上，它们是在排除吸入的多余盐分呢。

为什么买不到活的海鱼

wèi shén me mǎi bú dào huó de hǎi yú

大家都喜欢食用新鲜的水产品，可是在海鲜市场上，凡是正在出售的海鱼都是死的，人们根本买不到活的海鱼。那么，为什么海鱼捞上来都是死的呢？

146

精心作答

hǎi shuǐ zhōng hán yǒu hěn duō de yán fèn　yán
海水中含有很多的盐分,盐
fèn de bǐ zhòng dà　shuǐ xià de yā lì yě dà　cháng
分的比重大,水下的压力也大。长
qī shēng huó zài hǎi yáng zhōng de yú　zǎo yǐ jīng shì
期生活在海洋中的鱼,早已经适
yìng le nà zhǒng gāo yā de shēng huó huán jìng　yí dàn
应了那种高压的生活环境;一旦
bèi bǔ zhuō lí kāi le hǎi shuǐ　tǐ wài suǒ shòu de yā
被捕捉离开了海水,体外所受的压
lì tū rán jiàng dī　tā tǐ nèi de yú biào jiù huì yīn
力突然降低,它体内的鱼鳔就会因
yā lì zhòu jiǎn ér bào liè　yú yě jiù sǐ le
压力骤减而爆裂,鱼也就死了。

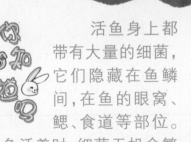

活鱼身上都
带有大量的细菌,
它们隐藏在鱼鳞
间,在鱼的眼窝、
鳃、食道等部位。
当鱼活着时,细菌无机会繁
殖,仅散发点腥味。一旦鱼死
了,它们便在上述部位大量
繁殖,并使鱼开始变质,于是
人们就闻到腥臭味了。

鱼有时浮到水面,
有时沉入水底,这是充
满气体的鳔在起作用。鱼
要游向深水,鳔就排出一
部分气体加大身体与水
的比重。鱼死后,鳔内充
满了空气,尸体就漂
浮在水面上了。

知识链接

河里结冰，鱼为什么冻不死
hé lǐ jié bīng，yú wèi shén me dòng bù sǐ

随心所问 冬天，河面结上了厚厚的一层冰，人们在冰面上凿洞钓鱼，钓上来的鱼却都是鲜活的。那么，为什么河里结了冰，气温那么低，鱼在水中却不会冻死呢？

动物篇

精心作答

水在0℃~4℃之间时具有热缩冷胀的特点,河面上的水在0℃结冰,因为比重较轻而胀浮在上面,形成了一层厚厚的冰壳,下面的水就不结冰了。冬天水温下降,鱼就从上层游向底层较暖的地方。因此,虽然河面结冰,鱼却不会冻死。

对?错

南美洲的河流中生活着一种只有20~50厘米长的小鱼,叫食人鱼。别看它小,却长着锐利的牙齿,专门吃大鱼、大动物,对人也毫不客气。2004年5月,有人在泰晤士河发现了这种鱼,引起当地人的恐慌。不过专家说不要紧,泰晤士河水温低,这种鱼无法适应。真的如此吗?

知识链接

鱼属于变温动物。气温低,它的体温也变低;夏天气温高,它的体温也相应提高。因此,冬天,鱼在人觉得很冷的水中也能安然生活。

海牛和儒艮有什么区别

儒艮和海牛都是海洋中较大的哺乳动物，儒艮其实是海牛目中的一个种类，它们从外形上看很相似。那么，儒艮和海牛究竟有什么区别呢？

精心作答

海牛生活在美洲、西印度群岛和非洲的热带海洋地区，儒艮则生活在印度洋和太平洋。海牛的尾巴是圆形的，形状像船桨，它们游得很慢，视力也差。儒艮的尾巴是V字形，身躯较为庞大，与海牛不同的是，雄性儒艮长有两颗大獠牙。

大千世界

儒艮生活在暖水中，是海洋中惟一的草食动物。儒艮喜欢群居生活。儒艮躺在海水中，时而露出头部，时而露出身躯，雌性儒艮还将幼仔抱在怀里喂奶，远看就像人一样，传说中的美人鱼就是儒艮。

知识小博报

海牛有的独居，有的几头生活在一起。它们看起来富有感情，彼此之间经常碰碰鼻子，好像在问候、接吻。由于人类的捕杀，亚马逊河的海牛只剩500头左右了。

哪种动物夏眠
nǎ zhǒng dòng wù xià mián

不少动物为了度过寒冷、缺少食物的冬季，都要
躲进温暖的洞穴里去冬眠，冬眠动物的种类很多。
可是有一种动物却要进行夏眠，你听说过吗？

精心作答

shēng zhǎng zài fēi zhōu de fèi yú shì yì zhǒng
生长在非洲的肺鱼是一种
xià mián dòng wù dāng yán rè de hàn jì dào lái shí
夏眠动物。当炎热的旱季到来时，
fèi yú jiù zài hé ní li zuàn yí ge bàn mǐ shēn de
肺鱼就在河泥里钻一个半米深的
dòng suō jìn qù pí fū fēn mì nián yè yǔ zhú jiàn
洞缩进去，皮肤分泌黏液与逐渐
gān hé de ruǎn ní jié chéng yí ge yìng ké zuǐ de
干涸的软泥结成一个硬壳，嘴的
sì zhōu yóu nián yè chuī chéng yuán lòu dǒu zhuàng tōng xiàng
四周由黏液吹成圆漏斗状通向
wài mian hū xī yī kào xiāo hào zhī fáng fèi yú hān
外面呼吸。依靠消耗脂肪，肺鱼酣
rán xià mián kě dá bàn nián zhī jiǔ ne
然夏眠可达半年之久呢！

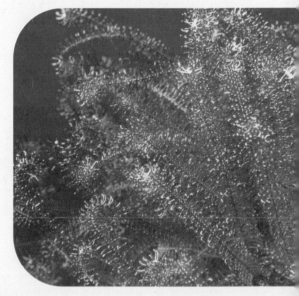

泥鳅、黑鱼、鳝鱼等，也都有较长时间离开水而不死的本领。这些鱼除了鳃之外，还有一套辅助呼吸的器官：鳝鱼的副呼吸器官是长在口腔与咽喉内壁上的毛细血管；黑鱼的是鳃腔背部的迷路囊；肺鱼的就是鳔。

知识链接

肺鱼在地球上已经生活了2.3亿年了。离开水也能生存，是因为它的鳔具有肺的功能。这是肺鱼应付恶劣的自然环境、适应生存需要的奇特之处。

螃蟹为什么横行
páng xiè wèi shén me héng xíng

随心所问 螃蟹以味道鲜美、长相奇特而著名,此外更令人称奇的是,它有一种其它动物所不具备的特征,就是横着走路。那么,螃蟹为什么要横行呢?

精心作答

pána xiè zhǎng yǒu bā zhī jiǎo hé yí duì áo
螃蟹长有八只脚和一对螯

zú tā de áo zú yòng lái bǔ shí yíng dí hé
足，它的螯足用来捕食、迎敌和

xī yǐn yì xìng tā yòng lái xíng zǒu de bā tiáo tuǐ
吸引异性。它用来行走的八条腿

zhí jiē zhǎng zài jiǎ ké de liǎng cè tuǐ de guān jié
直接长在甲壳的两侧，腿的关节

zhǐ néng xiàng xià wān qū yě zhǐ huì zuǒ yòu yí
只能向下弯曲，也只会左右移

dòng bù néng qián hòu huó dòng suǒ yǐ tā gēn běn
动，不能前后活动，所以它根本

bú huì xiàng qián pá zhǐ hǎo héng zhe zǒu lù le
不会向前爬，只好横着走路了。

挪威海边有一种红王蟹，重量可达11千克，钳长可达0.9米，能一下子夹断人的手指。在栖息地，它们的数量已达1,000万只以上，正浩浩荡荡南迁。红王蟹所过之处，水下白骨累累，甲壳类动物几乎被它们消灭殆尽。

在淡水中生活的成熟河蟹，一到秋季，就陆续沿江河向附近的浅海里爬去，在河口咸淡水交界处交配产卵，直到第二年晚春幼蟹孵化出来。当年5~6月间，幼蟹便日夜不停地沿着它们父母的来路游向内陆江河去安家。两年以后，它们又要往海边爬去了。

乌龟为什么长寿
wū guī wèi shén me cháng shòu

随心所问 20世纪初，人们曾在长江捕获一只龟，龟的背上刻有"道光二十年"(1840)字样。18世纪有人养了一只家龟，经过几代人之手，到20世纪20年代，它已经活了200多年。那么，龟为什么会长寿呢？

动物篇

龟属于冷血动物,新陈代谢十
分缓慢。但龟却长着强有力的心
脏。据解剖实验证明,龟的心脏在
脱离身体两天时还能继续搏动。
龟的行动迟缓,体能消耗很少,再
加上它有坚硬的外壳保护自己不
受外界的伤害,所以龟得以长寿。

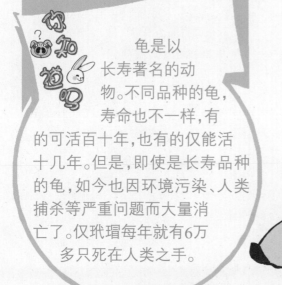

龟是以长寿著名的动物。不同品种的龟,寿命也不一样,有的可活百十年,也有的仅能活十几年。但是,即使是长寿品种的龟,如今也因环境污染、人类捕杀等严重问题而大量消亡了。仅玳瑁每年就有6万多只死在人类之手。

在辽宁,有人钓到了一只大海龟,眼看拉上来了,忽然有10多只小海龟一拥而上,排成串死咬钓绳、大龟的尾巴和后腿。钓者最后把大小海龟一齐拉上岸,可小海龟尾里头外将大海龟围了起来。钓者取出钩子将大海龟放回去,小海龟也陆续钻到水里去了。

什么动物在遇到危险时
shén me dòng wù zài yù dào wēi xiǎn shí

能抛出内脏避害
néng pāo chū nèi zàng bì hài

随心所问

动物在逃生时，有的断掉尾巴自救，像壁虎、
dòng wù zài táo shēng shí　yǒu de duàn diào wěi ba zì jiù　xiàng bì hǔ

蜥蜴；有的断腕自保，像海星。可是你听说过有的
xī yì　yǒu de duàn wàn zì bǎo　xiàng hǎi xīng　kě shì nǐ tīng shuō guò yǒu de

动物能抛出自己的内脏逃生吗？
dòng wù néng pāo chū zì jǐ de nèi zàng táo shēng ma

动物篇

精心作答

hǎi shēn jiù yǒu zhè ge běn lǐng　dāng yù dào dí hài ér
海参就有这个本领。当遇到敌害而

shí zài wú fǎ tuō shēn shí　hǎi shēn jiù jí sù shōu suō shēn
实在无法脱身时,海参就急速收缩身

tǐ　bǎ zì jǐ de nèi zàng qì guān tōng guò gāng mén xùn sù
体,把自己的内脏器官通过肛门迅速

pāo xiàng dí rén　yǐ cǐ mí huò duì fāng　zhuǎn yí duì fāng
抛向敌人,以此迷惑对方,转移对方

shì xiàn　zì jǐ chèn jī táo shēng　guò yí duàn shí jiān yǐ
视线,自己趁机逃生。过一段时间以

hòu　hǎi shēn tǐ nèi hái huì zài zhǎng chū xīn de nèi zàng
后,海参体内还会再长出新的内脏。

大千世界

海蜇体软无力,却有巧妙的办法保护自己:一是能分泌有毒的体液,喷射麻醉敌人;二是在触须上生有小球,小球上有"听石",这种"听石"能感觉到8~13赫兹的次声波,凭此海蜇居然能提前十几个小时感知风暴,从而逃避。科学家对这种现象进行了研究,已经仿制出能预测风暴的仪器。

知识链接

当海星的腕被敌人咬住时,它会自行挣断腕子来逃生。更奇特的是,即使把海星切成许多碎块,每个小块都会长成一个新的海星。

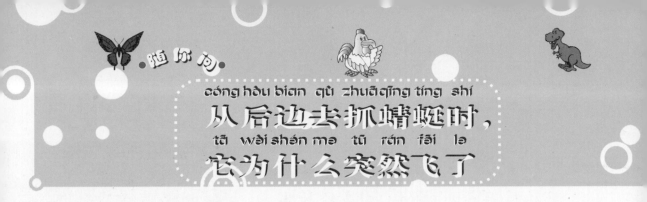

随你问

cóng hòu bian qù zhuā qīng tíng shí
从后边去抓蜻蜓时，
tā wèi shén me tū rán fēi le
它为什么突然飞了

随心所问

xià tiān　xǔ duō qīng tíng zài kōng zhōng fēi lái fēi qù　yǒu de luò zài xiǎo cǎo
夏天，许多蜻蜓在空中飞来飞去，有的落在小草
shang　yǒu de luò zài huā zhī shang　xiǎo péng yǒu cóng hòu bian qiāo qiāo zǒu guò qù xiǎng
上，有的落在花枝上，小朋友从后边悄悄走过去想
zhuō zhù tā　kě shì qīng tíng shū de jiù fēi zǒu le　zhè shì wèi shén me ne
捉住它，可是蜻蜓倏地就飞走了，这是为什么呢?

动物篇

精心作答

qīng tíng de yí duì dà yǎn jing shì yóu xǔ
蜻蜓的一对大眼睛是由许

duō xiǎo yǎn jing zǔ chéng de jiào fù yǎn tā
多小眼睛组成的，叫复眼。它

de měi zhī fù yǎn yǒu yí wàn duō zhī xiǎo yǎn
的每只复眼有一万多只小眼

jing néng gòu tóng shí kàn dào sì miàn bā fāng de
睛，能够同时看到四面八方的

shì wù jí biàn wǒ men cóng hòu bian qù zhuā
事物。即便我们从后边去抓

tā tā yě néng kàn dào suǒ yǐ lì kè jiù fēi
它，它也能看到，所以立刻就飞

le xiǎo péng yǒu dāng rán jiù zhuā bú dào le
了，小朋友当然就抓不到了。

下雨前，蜻蜓都飞得很低。这时，空气潮湿，蜻蜓翅膀沾有水汽；同时，小飞虫、蚊子等也都飞不高，这正是蜻蜓捕食的好机会。蜻蜓是蚊子的天敌，每小时可吃掉80多只蚊子。如果一个人捕捉了20只蜻蜓，就等于在一个小时内给了1,680多只蚊子以生命。

大千世界

知识链接

蜻蜓薄薄的两翼极快地振动却不会折断，原来是翼上黑痣起的作用。人们仿照着将飞机机翼的前缘外上方也装上了蜻蜓痣一样的设置，于是飞机震颤现象消除了，从而保障了飞行安全。

蜜蜂是怎样找回巢穴的

随心所问 在百花盛开的季节，勤劳的小蜜蜂又开始劳动了。如果近处没有蜜源，小蜜蜂常常要飞到很远的地方去采蜜。飞了那么远，它们是怎样找回家的呢？

精心作答

原来小蜜蜂是根据太阳的位置来判断方向的。在每次远行前，它总是先在自己的蜂房上转几圈，看好了太阳的方位、高度后再出发。这样，小蜜蜂工作结束后就能根据自己的记忆测定方位，准确地飞回家了。

蜂王浆又叫蜂乳，它是工蜂分泌的一种乳白浆液，含有丰富的蛋白质、多种维生素、多种氨基酸、脂类、葡萄糖等，还有抗菌素和激素。工蜂用它喂养幼蜂。能连续16天吃到蜂王浆的幼虫，可以发育成蜂王；一般幼虫仅能吃3天的蜂乳，以后工蜂就喂它们花粉、花蜜了。

蜜蜂与植物互相依存。植物依靠蜜蜂授粉、传粉，结出丰硕的果实；蜜蜂采集花粉和花蜜喂养幼虫。在蜂房里，花蜜被酿成蜂蜜，作为蜂群越冬的食物。

蜘蛛有什么用处
zhī zhū yǒu shén me yòng chu

随心所问

在破败、荒凉的地方，常常挂着蜘蛛网，因而
zài pò bài huāng liáng de dì fang cháng cháng guà zhe zhī zhū wǎng yīn ér

人们对蜘蛛的印象也不那么好。其实，大多数的蜘蛛
rén men duì zhī zhū de yìn xiàng yě bú nà me hǎo qí shí dà duō shù de zhī zhū

对人类是有益的。那么，蜘蛛有什么用呢？
duì rén lèi shì yǒu yì de nà me zhī zhū yǒu shén me yòng ne

动物篇

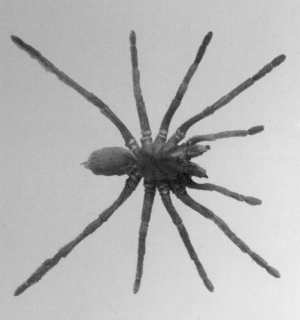

精心作答

zhī zhū shì yì xiē hài chóng de tiān dí shì
蜘蛛是一些害虫的天敌，是

bǎo hù nóng zuò wù de tián jiān wèi shì suī rán
保护农作物的"田间卫士"。虽然

tā men zhǎng de bù hǎo kàn què duì wǒ men shí fēn
它们长得不好看，却对我们十分

yǒu yì jù tǒng jì quán shì jiè zhī zhū yì tiān chī
有益。据统计，全世界蜘蛛一天吃

diào de chóng zi de zǒng shù yuǎn yuǎn chāo guò quán
掉的虫子的总数，远远超过全

shì jiè rén kǒu de shù liàng bǐ rén men shǐ yòng shā
世界人口的数量，比人们使用杀

chóng jì shā sǐ de hài chóng yào duō de duō
虫剂杀死的害虫要多得多。

大千世界

蜘蛛能依靠自己吐的细得几乎看不见的丝随风飘飞。据生物学家达尔文记述，他在海上，船离岸有二三百里还曾看见蜘蛛从天而降。可见远离陆地的海岛、高山上的蜘蛛都是飞来的。蜘蛛的这种本领使它们获得更广阔的生存空间，它们的同类遍及全球。

知识链接

蜘蛛丝对我们人类很有用。早在19世纪，蜘蛛丝就被用在天文测量仪上。蛛丝是制造人工心瓣和人工静脉必不可少的材料在军事上，蜘蛛丝来制作高级的防弹背心。

为什么说蚯蚓是土地的耕耘者

wèi shén me shuō qiū yǐn shì tǔ dì de gēng yún zhě

动物篇

随心所问 说起耕耘土地，似乎只有人类才能当此重任。其实，远在人类懂得适时耕种以前，土地实际上早已被蚯蚓耕耘过了。蚯蚓也是土地的耕耘者，为什么这么说呢？

精心作答

qiū yǐn què shí shì xīn qín de tǔ dì gēng yún zhě
蚯蚓确实是辛勤的土地耕耘者。

tā zài tǔ rǎng zhōng bù tíng de zuān lái zuān qù   bǎ tǔ
它在土壤中不停地钻来钻去,把土

rǎng fān de shū sōng   shǐ shuǐ fèn   kōng qì hé féi liào yì
壤翻得疏松,使水分、空气和肥料易

yú róng rù tǔ rǎng   cóng ér yǒu lì yú gēn de shēng
于溶入土壤,从而有利于根的生

zhǎng tóng shí   qiū yǐn tūn shí ní tǔ shí jiāng zhí wù de
长。同时,蚯蚓吞食泥土时将植物的

cán gēn   gè zhǒng wēi xiǎo shēng wù   yòu chóng   chóng luǎn
残根、各种微小生物、幼虫、虫卵

děng dōu xiāo huà diào   shǐ zhī biàn chéng le féi liào
等都消化掉,使之变成了肥料。

在菜田,每100平方米土壤中,约有蚯蚓1万多条。在田野,每百平方米土壤约有蚯蚓5,000多条。蚯蚓在每100平方米的土壤内,平均每年大约将8,100千克泥土搬运到地面上,能使0.5~3厘米厚的土层全部形成团粒结构,而这种结构,是最有利于农作物生长的。

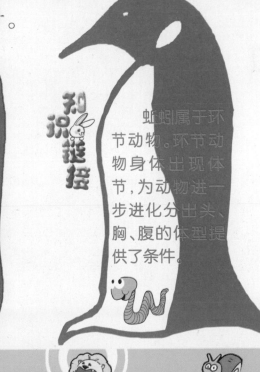

蚯蚓属于环节动物。环节动物身体出现体节,为动物进一步进化分出头、胸、腹的体型提供了条件。

蚕为什么只爱吃桑叶

cán wèi shén me zhǐ ài chī sāng yè

随心所问

轻柔、华贵的丝绸，是用蚕宝宝吐的丝织成的。蚕宝宝就是桑蚕，它们的食物就是桑叶。只有用桑叶喂蚕，蚕才会吐丝，这是为什么呢？

动物篇

精心作答

sāng yè lǐ hán yǒu néng gòu jī fā cán jǔ jué
桑叶里含有能够激发蚕咀嚼
sāng yè de wù zhì yǐ jí néng bāng zhù cán tūn yàn sāng
桑叶的物质以及能帮助蚕吞咽桑
yè de wù zhì rú guǒ yòng qí tā zhí wù de yè zi
叶的物质。如果用其它植物的叶子
wèi yǎng cán jí shǐ cán kěn chī yě hěn róng yì dé
喂养蚕，即使蚕肯吃，也很容易得
bìng ér qiě yě bù néng zhèng cháng fán yǎn hòu dài zhǐ
病，而且也不能正常繁衍后代。只
yǒu sāng yè de yíng yǎng chéng fèn cái néng mǎn zú cán de
有桑叶的营养成分才能满足蚕的
shēng lǐ yāo qiú wèi le tǔ sī cán zhǐ chī sāng yè
生理要求。为了吐丝，蚕只吃桑叶。

你知道吗

我们的先人从蚕做茧织网中，悟出制造丝绸的方法。养蚕、纺丝、织绸缎是中国古代人的重要发明，也是对世界文明的重要贡献。东亚各国以及阿拉伯世界、欧美各国先后从中国传入养蚕、缫丝、织锦技术。丝绸，美化提升了全人类的文化生活品位。

智慧小贴贴

一个蚕茧只由一根茧丝组成，这根茧丝长达1,700米，重约400毫克。蚕丝坚韧、纤细、光滑，织成的绸缎华丽、富有弹性。蚕为人类做出了重要贡献。

跳蚤为什么能传播疾病

有60多种跳蚤寄生在老鼠身上。1347年开始的一场鼠疫，使欧洲在几年内死去2,500万人，城乡人烟绝迹。鼠疫的传播，除了老鼠，跳蚤也是元凶。那么，跳蚤为什么能传播疾病呢？

动物篇

精心作答

跳蚤有1万多种，它们长着光滑的身子，脚上有细爪，个子小，却跳得高，很容易寄住在兽毛的根部、禽类的羽毛里或人贴身的内衣上。它们吸食了有病的禽兽或病人的血以后，再去叮咬健康者，健康者就生病了，疾病就传播开了。

跳蚤的弹跳高度是自己身高的130倍。人如果具有跳蚤一样的本领，就能跳到200米的高度，那么，一般的楼房统统不在话下了。跳蚤跳得高，全仗两条具有超强弹性的后腿。垂直起落的鹞式飞机，就是科学家在跳蚤垂直起跳方式的启发下研制成功的。

异想天开

知识链接

由于经常被跳蚤、虱子等害虫叮咬，猫直接或间接带有肝吸虫病、乙型脑炎、猫抓热、肺吸虫等30多种病菌。不仅被猫咬破、抓伤会得传染病，就是被猫舔过、接触猫的皮毛和被猫粪污染的东西，也可能染病。

wèi shén me shuō hēi lóng jiāng shì dà mǎ hā yú de gù xiāng
为什么说黑龙江是大马哈鱼的故乡

随心所问

dà mǎ hā yú yòu jiào guī yú，sù yǐ ròu zhì xiān měi wén míng yú shì，lì
大马哈鱼又叫鲑鱼，素以肉质鲜美闻名于世，历

lái bèi shì wéi míng guì yú zhǒng。wǒ guó hēi lóng jiāng shèng chǎn dà mǎ hā yú，shì
来被视为名贵鱼种。我国黑龙江盛产大马哈鱼，是

dà mǎ hā yú de gù xiāng。wèi shén me zhè me shuō ne
大马哈鱼的故乡。为什么这么说呢？

动物篇

精心作答

lín jìn dōng jì dà mǎ hā yú zài hēi lóng jiāng de
临近冬季，大马哈鱼在黑龙江的

zhī liú sōng huā jiāng wū sū lǐ jiāng hū mǎ ěr hé děng
支流松花江、乌苏里江、呼玛尔河等

qīng lěng hé shuǐ zhōng chǎn luǎn cí xióng shuāng shuāng shǒu
清冷河水中产卵。雌雄双双守

hòu zài luǎn chuáng biān zhí dào sǐ wáng duō tiān hòu
候在卵床边，直到死亡。100多天后

xiǎo yú chū shì dào le chūn tiān tā men shùn liú yóu xiàng
小鱼出世，到了春天，它们顺流游向

dà hǎi zài hǎi zhōng shēng huó nián hòu zhǎng chéng dà
大海。在海中生活4年后，长成大

yú de dà mǎ hā yú bú wàng gù xiāng yòu huì lì jìn
鱼的大马哈鱼不忘故乡，又会历尽

xīn kǔ chéng qún jié duì sù liú yóu huí chū shēng dì
辛苦，成群结队溯流游回出生地。

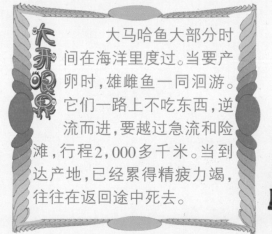

大开眼界

大马哈鱼大部分时间在海洋里度过。当要产卵时，雄雌鱼一同洄游。它们一路上不吃东西，逆流而进，要越过急流和险滩，行程2,000多千米。当到达产地，已经累得精疲力竭，往往在返回途中死去。

知识链接

大马哈鱼是凶猛的食肉鱼类，具有很高的经济价值。它的鱼子是昂贵的食品。大马哈鱼的鱼子比普通鱼子大许多，色泽如琥珀，晶莹剔透，营养价值极高，是做鱼子酱的上好原料。

dú xiē yòu zǐ chī mǔ xiē zi ma
毒蝎幼仔吃母蝎子吗

随心所问 luǎn shēng de xiǎo xiē zi cóng bāo guǒ tā de nián yè zhōng gāng zuān chū lái jiù
卵生的小蝎子从包裹它的黏液中刚钻出来，就
yì qí pá dào mǔ xiē zi de bèi shang yī cì tóu cháo wài pái chéng quān mǔ xiē zi
一齐爬到母蝎子的背上，依次头朝外排成圈，母蝎子
pā zhe yí dòng bú dòng nà me shì bú shì mǔ xiē zi bèi xiē zǐ yǎo sǐ le
趴着一动不动。那么，是不是母蝎子被蝎仔咬死了？

动物篇

精心作答

其实，母蝎子在静候它的孩子爬到自己的背上。幼蝎排列整齐，不仔细看，母蝎背上真好像裂开了一条缝，有人还以为幼蝎是从母蝎子背上裂缝里爬出来的呢，加上母蝎子不动，便以为它死了。倒是没有爬到母亲背上的幼蝎，要被母蝎或其它蝎子吃掉。

有一种叫裂鼻象虫的动物，它的长鼻子前端有小小的裂缝，因而得名。这种动物用自己的毒牙捕食动物，有时不小心，就咬到了自己的舌头，弄个自杀身亡。

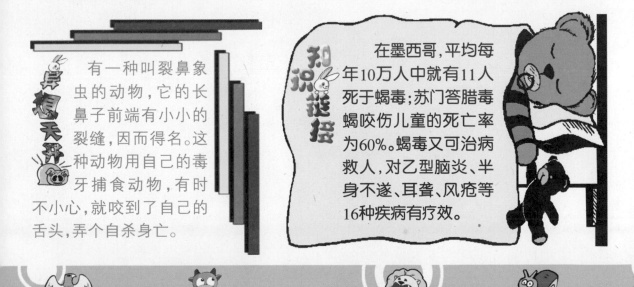

知识链接

在墨西哥，平均每年10万人中就有11人死于蝎毒；苏门答腊毒蝎咬伤儿童的死亡率为60%。蝎毒又可治病救人，对乙型脑炎、半身不遂、耳聋、风疮等16种疾病有疗效。

蝴蝶的翅膀上为什么长有鳞粉

动物篇

随心所问 我们用手捉蝴蝶时，手上会沾到许多细粉，有人以为是花粉，其实它叫鳞粉，是蝴蝶翅膀上长的东西。那么，蝴蝶翅膀上为什么长有鳞粉呢？

精心作答

hú dié chì bǎng shang de lín fěn qí shí shì
蝴蝶翅膀上的鳞粉其实是
hú dié tǐ máo de biàn xíng　tā men zhǎng de xiān xì
蝴蝶体毛的变形。它们长得纤细
ér yòu qiān zī bǎi tài　yǒu shàn xíng de　yǒu jiàn xíng
而又千姿百态,有扇形的,有箭形
de　yǒu tòu míng de　yǒu bàn tòu míng de　měi yì kē
的;有透明的,有半透明的。每一颗
lín piàn shang dōu hán yǒu duō zhǒng sè sù kē lì　lín
鳞片上都含有多种色素颗粒。鳞
fěn kě yǐ bāng zhù hú dié fēi xíng　yě shǐ hú dié kàn
粉可以帮助蝴蝶飞行,也使蝴蝶看
shàng qù sè cǎi bān lán　gé wài měi lì
上去色彩斑斓、格外美丽。

大千世界

"巴拿马"在印第安方言里就是"蝴蝶"的意思。据说那里的加通湖畔到处是翩翩起舞的蝴蝶,形态美丽,色泽鲜艳,远远望去恰似花的海洋——蝶海。所以巴拿马有"蝴蝶国"的美称。

知识链接

很多蝴蝶的翅膀上都长有醒目的眼斑。它们在天敌袭来时,突然亮出这些斑纹来吓唬对方,在敌人愣住的瞬间,蝴蝶就可以借机逃遁了。

wèi shén me shuō cāng ying shì hài chóng
为什么说苍蝇是害虫

随心所问 苍蝇经常在厕所、粪堆、猪圈、马厩、餐厅等处飞来飞去,凡是飞得进去的地方,它就当做自己的家。苍蝇是害虫,人们竭力要消灭它。那么,为什么说苍蝇是害虫呢?

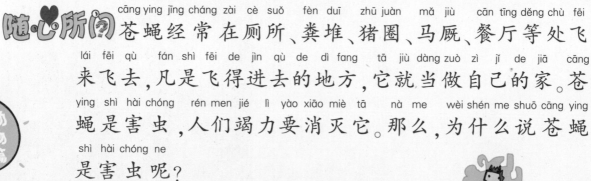

精心作答

苍蝇吃东西时总是先吐出唾液分解食物，再用口饱吸一顿。它用长满了毛的腿在食物上爬来爬去，边吐边吃，隔几分钟还要大便一次。人们吃了苍蝇爬过的东西，就可能得伤寒、霍乱、痢疾、脊髓灰质炎等传染病。苍蝇真是害人虫！

观测

苍蝇的脚很特别，上有爪，能钩住硬物、软物，还有肉垫能分泌粘液，可以黏在光滑的物体上。它的脚还能品尝味道，当它落到切开的瓜果上，便开始利用脚上的吸管吸甜汁。

知识链接

一对苍蝇从4月到8月繁殖的子孙后代超过一亿只。它们专门光顾各种腐烂的东西，在脓血、痰迹、粪便、腐尸上来往。苍蝇身上带的细菌有1,700万个，肚子里藏有约2,800万个细菌及病原体。

suǒ yǒu de wén zi dōu yǎo rén ma
所有的蚊子都咬人吗

动物篇

随心所问 在非洲，每年有100万人死于疟疾，这是因为疾病的传播者——蚊子携带有疟疾病原体，蚊子叮人吸血是疾病传播的主要途径。那么，所有的蚊子都咬人吗？

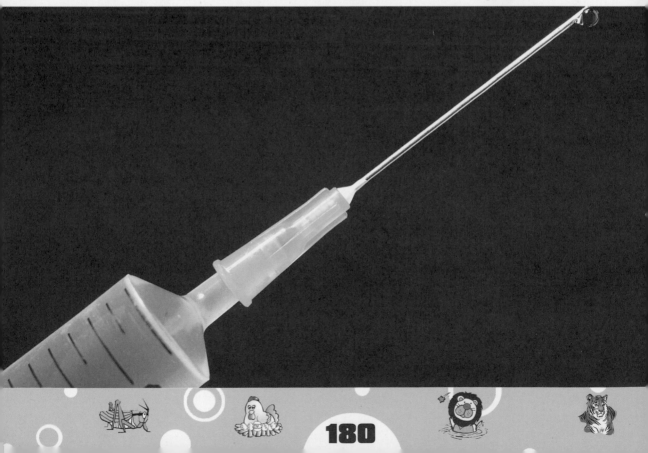

精心作答

其实，并不是所有的蚊子都咬人，咬人的只是雌蚊子。雌蚊一生要产卵好几次，在产卵前要吸入人或动物的血液。它用这些血液中的营养供蚊卵发育成长。雌蚊在咬人吸血的同时，就将它携带的病菌传染给人了。

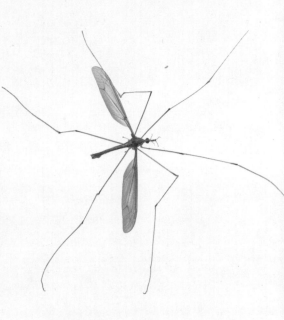

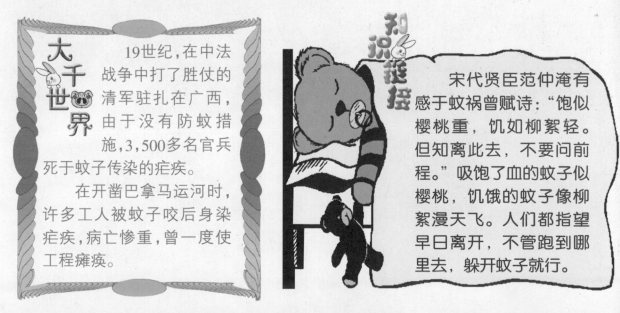

大千世界

19世纪，在中法战争中打了胜仗的清军驻扎在广西，由于没有防蚊措施，3,500多名官兵死于蚊子传染的疟疾。

在开凿巴拿马运河时，许多工人被蚊子咬后身染疟疾，病亡惨重，曾一度使工程瘫痪。

知识链接

宋代贤臣范仲淹有感于蚊祸曾赋诗："饱似樱桃重，饥如柳絮轻。但知离此去，不要问前程。"吸饱了血的蚊子似樱桃，饥饿的蚊子像柳絮漫天飞。人们都指望早日离开，不管跑到哪里去，躲开蚊子就行。

xiǎo mǎ yǐ wèi shén me huì pái duì
小蚂蚁为什么会排队

随心所问 小朋友常常看见地上的蚂蚁忙来忙去，有的拖着比自己身体大几倍的食物，有的排着队，有秩序地钻进洞去。那么，小蚂蚁走路时为什么会排队呢？

动物篇

精心作答

xiǎo mǎ yǐ shì huì wén qì wèi de　qián bian zǒu
小蚂蚁是会闻气味的。前边走
de mǎ yǐ zài pá guò de dì miàn shang liú xià yì zhǒng
的蚂蚁在爬过的地面上留下一种
qì wèi　hòu bian de mǎ yǐ wén dào zhè zhǒng qì wèi
气味，后边的蚂蚁闻到这种气味
hòu jiù gēn le guò lái　qí tā de mǎ yǐ yě yí
后就跟了过来，其它的蚂蚁也一
yàng　zhè yàng yì lái　tā men jiù pái chéng duì huí jiā
样，这样一来，它们就排成队回家
le　zhè yě shì tā men jì lù de fāng fǎ　rú guǒ
了。这也是它们记路的方法，如果
qì wèi bú jiàn le　jiù róng yì mí lù
气味不见了，就容易迷路。

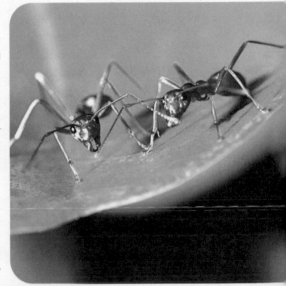

蚂蚁家族十分庞大，仅白蚁就有2,000多种。白蚁是害虫，它长着一对能咬断铅丝的大颚。白蚁群危害古建筑物、木桥梁、枕木、船只、森林、果木、田间作物等许多东西。白蚁繁殖力强，蚁后平均每秒产卵60粒，寿命可达50年。

观测台

和识链接

蚂蚁对天气的变化很敏感。下雨之前，它们总是往高处搬家；天气干旱时，它们会去找阴凉湿润的地方，往低处搬家。

huáng chóng wèi shén me huì chéng zāi
蝗虫为什么会成灾

动物篇

随心所问 蝗虫喜欢聚在一起,成群结队在空中飞行。一次能飞几百千米,高度可达2千米以上。蝗群飞过时,翅膀振动的声音就像大海在轰鸣,这就是蝗灾。那么,蝗虫为什么会成灾呢?

精心作答

huáng chóng de fán zhí lì tè bié qiáng ér qiě
蝗虫的繁殖力特别强，而且

jí zhōng chǎn luǎn hěn kuài jiù xíng chéng huáng qún
集中产卵，很快就形成蝗群。

xià tiān dà qún dà qún de huáng chóng rú guǒ bù
夏天，大群大群的蝗虫如果不

néng bèi jí shí pū miè jiù huì pū tiān gài dì bān
能被及时扑灭，就会铺天盖地般

fēi dào nóng tián li bǎ dà piàn de zhuāng jia zài shùn
飞到农田里，把大片的庄稼在瞬

jiān chī de jīng guāng chéng wéi huáng zāi huáng qún
间吃得精光，成为蝗灾。蝗群

suǒ dào zhī chù lǜ sè jiē wú chì dì yí piàn
所到之处，绿色皆无，赤地一片。

观测

消灭蝗虫要在幼虫没有长出翅膀之前动手。应大力植树造林，增加植被；要减少裸露荒地，消除蝗虫排卵、繁殖后代的条件；做好蝗虫的预测预报，及时扑灭少量蝗虫。

我国河北省发生过一次蝗灾，蝗虫不仅把庄稼吃得一干二净，而且连糊的窗户纸也吃得精光，造成万民流离失所。有的蝗群达几千亿只，每天吃的东西在16万吨以上。同样数目的粮食可供80万人吃一年的。在东非有人观测到一群蝗虫形成高30多米、宽500米的阵势飞行，全部通过用了9个小时。

"花大姐"是益虫还是害虫

huā dà jiě shì yì chóng hái shi hài chóng

随心所问 每到秋天,人们都可以看到不少的"花大姐",有的背上长着7个星,有的长着10个星、28个星。那么,这些虫子到底是益虫还是害虫呢?

"花大姐"的学名叫瓢虫。别看它们长得差不多，却有的是益虫，有的是害虫，但大多数是益虫。长有10星、28星的瓢虫以吃植物叶子为主，是害虫。

其它的，如7星、13星、6星、赤星等瓢虫，以吃害虫为食，是益虫。

大千世界

有益于人类的虫子很多。在秘鲁，有一种叫做"马伦比埃"的小白蛾的幼虫，专门吃古柯。古柯是制造海洛因、吗啡的原料。缉毒人员将人工繁殖的马伦比埃蛹用飞机撒到古柯生长地，蛹变蛾，蛾产卵，卵变成幼虫，数不清的幼虫就吃光了古柯叶子，让贩毒者破了产。

瓢虫受到敌人的攻击时，就会突然收起脚滚到地上，六脚朝天，装死；或者分泌一种黄色的苦汁，具有较强的刺激性味道，让敌人望而却步。

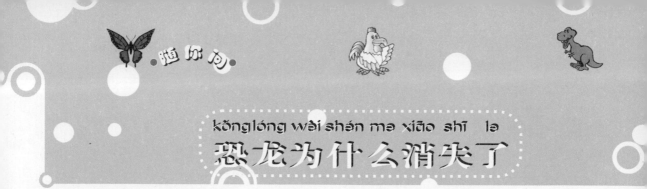

恐龙为什么消失了
kǒng lóng wèi shén me xiāo shī le

随心所问 恐龙曾经是一个庞大的生物群体，它们生活在地球生命进化史中最激动人心的时代，统治地球的时间长达1亿5千万年，但是在6,500万年前它们神秘地消失了。那么，恐龙为什么灭绝了呢？

动物篇

精心作答

据考古推测有以下可能：一是天外飞来的陨石或小行星撞击地球，使地球上的生存环境发生了天翻地覆的变化，使恐龙全部灭绝了；二是天气自然寒冷起来，恐龙的后代生出来只有一种性别，由于无法繁衍下去，只过一两代恐龙就死光了。

也有专家认为，是火山的爆发造成地球气候巨变，引起恐龙灭亡；还有学者认为是植物的进化引起的：当被子植物长满大地时，蕨类、裸子植物大为减少，被子植物不合恐龙的胃口，恐龙缺乏食物，加上疾病瘟疫蔓延，就逐渐灭绝了。

如果一颗直径10千米的陨石撞到地球上，将会有大量尘埃弥漫，使太阳的光和热几个月照不到地球上。植物枯死，素食恐龙先饿死，接着食肉恐龙也饿死了。等到植物重新长出来，对于恐龙来说已经太迟了。

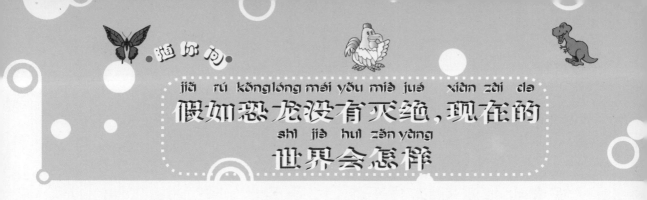

jiǎ rú kǒng lóng méi yǒu miè jué xiàn zài de
假如恐龙没有灭绝，现在的
shì jiè huì zěn yàng
世界会怎样

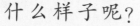

随心所问

kǒng lóng shì jù dà de pá xíng lèi dòng wù céng jīng zài dì qiú shang héng
恐龙是巨大的爬行类动物，曾经在地球上横
xíng yì shí tiān shang dì shang shuǐ li dào chù dōu yǒu tā men de shēn yǐng
行一时。天上、地上、水里，到处都有它们的身影。
rú guǒ wàn nián qián kǒng lóng méi yǒu miè jué xiàn zài de shì jiè huì shì
如果6,500万年前恐龙没有灭绝，现在的世界会是
shén me yàng zi ne
什么样子呢？

动物篇

恐龙的灭绝为其它生物
的发展进化提供了空间，创
造了条件。恐龙如果不退出历
史舞台，还在地球上称霸，那
么，其它弱小的生物，像哺乳
类动物就不会有出头之日，而
由哺乳类进化而来的人类，恐
怕也就永远不会诞生了。

你知道吗

恐龙如能幸存至今，
其外貌、习性等也会随着
气候和地理的变迁，进
化。白垩纪末的许多恐
龙，如果演变至今，将会
面目全非，与其祖先的模样大相
径庭。当然也会有极少数恐龙由
于所处生活环境在6,500万年间
一直变化不大，因此进化也不很
明显，基本保持着祖先的样子。

恐龙灭绝后，
地球上除了小型的爬行类、
两栖类和哺乳类之外，只有在天
空飞翔的鸟类了。接着哺乳类逐渐大
型化，终于凌驾于鸟类之上，大
地成为哺乳类动物的天下。

kǒng lóng shì shén me dòng wù
恐龙是什么动物

 随心所问 rén men yī jù kǒng lóng gǔ gé huà shí jìn xíng fù yuán cóng zhì chū de
人们依据恐龙骨骼化石进行复原，从制出的

mó xíng lái kàn kǒng lóng zhǎng de lí qí gǔ guài xiàn zài de shì jiè shang gēn
模型来看，恐龙长得离奇古怪，现在的世界上根

běn zhǎo bú dào hěn xiàng kǒng lóng de dòng wù nà me kǒng lóng dào dǐ shì shén
本找不到很像恐龙的动物。那么，恐龙到底是什

me dòng wù ne
么动物呢？

精心作答

kǒng lóng shì jù dà de pá xíng lèi dòng wù shēng
恐龙是巨大的爬行类动物，生
huó zài jù jīn   yì nián dào   wàn nián zhī jiān
活在距今2.3亿年到6,500万年之间。
xiǎo de rú jī yì bān   dà de yǒu   céng lóu gāo   chī
小的如鸡一般，大的有6层楼高。吃
cǎo de kǒng lóng shēn qū páng dà   yòng zhù zi bān de   tiáo
草的恐龙身躯庞大，用柱子般的4条
tuǐ zǒu lù   chī ròu de kǒng lóng cháng yòng hòu tuǐ zǒu
腿走路；吃肉的恐龙常用后腿走
lù   yòng qián zhī liè qǔ shí wù   yǒu de sù shí kǒng lóng
路，用前肢猎取食物。有的素食恐龙
pí fū shang yǒu lín jiǎ huò gǔ bǎn   dà duō shù zhǎng yǒu
皮肤上有鳞甲或骨板，大多数长有
jù dà de wěi ba
巨大的尾巴。

恐龙大约出现在三叠纪的中晚期，在侏罗纪和白垩纪时非常繁盛，这个时期又常常被称为"恐龙时代"或"爬行动物时代"。由此可见，恐龙是一种爬行动物，而爬行动物又是脊椎动物家族中的一员。

爬行类属脊椎动物家族。脊椎动物按进化先后分别为鱼类、两栖类、爬行类、鸟类、哺乳类。爬行类居中，在进化历程中它承上启下，从两栖类进化而来，又演化出了鸟类和哺乳类。

随你问

恐龙有多大
kǒng lóng yǒu duō dà

随心所问

duì kǒng lóng jiā zú de qíng kuàng　　rén men zhǐ néng tōng guò huò dé de kǒng
对恐龙家族的情况，人们只能通过获得的恐

lóng huà shí qù tuī duàn　　duō nián lái　　kē xué jiā gěi fā xiàn de kǒng lóng
龙化石去推断。170多年来，科学家给发现的恐龙

huà shí qǐ le　　duō ge míng zi　　nà me　　zhè xiē kǒng lóng yǒu duō dà ne
化石起了900多个名字。那么，这些恐龙有多大呢？

动物篇

精心作答

从前人们一直认为，身长26米的北美梁龙是恐龙中最大的，比当时我国发现的22米的马门溪龙要大。可是新疆发现的大蜥脚龙化石，长30多米；1986年美国发现了一条"超龙"，这条恐龙活着的时候，从鼻到尾约有42米长，站立时肩部距地面5.19米。

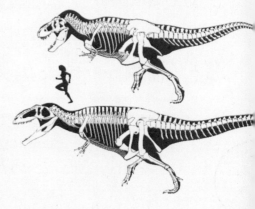

妙趣可言

爬行动物与哺乳动物生长方式不一样。哺乳动物快速长到成年阶段后，接着便衰老、死亡。它们的寿命比较短，个头一般都不大。但大型的爬行动物却具有不可思议的生长力，只要它们不死，一辈子都在慢慢长个子，大型的蜥脚类恐龙能活200多年，200年不停地生长，个头自然会长得非常大。

知识链接

最高的恐龙是1970年在美国科罗拉多州发现的"震龙"，它生活在1.4亿年前，以鲜嫩植物为食。它站立时，臀高达18米，有6层楼那么高。

传说中的龙是什么动物

chuán shuō zhōng de lóng shì shén me dòng wù

随心所问 中国人认为自己是龙的传人，以龙为图腾。封建时代，帝王以龙作为自己的象征，带有龙形、龙字的东西专为帝王所用。那么，传说中的龙到底是什么动物呢？

精心作答

上古专有为帝王养龙的职业，那时的龙可能就是一种巨大的爬行动物。传说中的龙是一种神异的动物，长着鱼鳞、鹿角、马面、鹰爪，身是蟒蛇状，能走、能飞、能游泳，还能兴云降雨。中国龙的这种形象，很可能是古人以恐龙遗骸为样本塑造出来的。

大千世界

许多人相信，龙图腾是从蛇图腾逐渐演化而来的。龙的传说，在我国已有千万年的历史，龙被赋予许多超自然的力量，它的地位至高无上，神圣不可侵犯。"龙腾虎跃"，"龙马精神""龙飞凤舞"中都可见龙的精神、龙的文化于一斑。

趣味沾告

中国人收集恐龙化石的历史已有2,000多年了。人们一直以为那是龙的骨头。直到现在，仍有中国人会把名叫"龙牙"的东西磨成粉做药。实际上，龙牙极可能就是恐龙牙齿的化石。

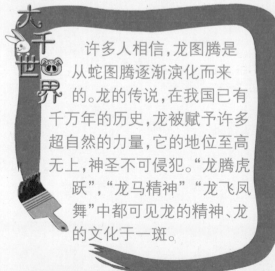

动物奇异的舌头有什么用

dòng wù qí yì de shé tou yǒu shén me yòng

随心所问

rén de shé tou shì yòng lái biàn bié wèi dao　tūn yàn shí wù hé xié zhù shuō huà
人的舌头是用来辨别味道、吞咽食物和协助说话

fā yīn de qì guān　dòng wù bú huì shuō huà　kě shé tou què zhǎng de qiān qí bǎi
发音的器官。动物不会说话，可舌头却长得千奇百

guài　gè bù xiāng tóng　nà me　dòng wù qí yì de shé tou hái yǒu shén me tè bié
怪，各不相同。那么，动物奇异的舌头还有什么特别

de zuò yòng ma
的作用吗？

动物篇

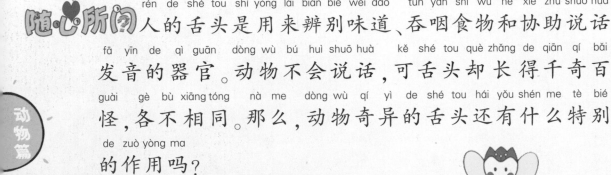

精心作答

dòng wù shé tou zhǎng de qí tè shì wèi le gèng fāng
动物舌头长得奇特是为了更方

biàn chī dōng xi   lǎo hǔ bào xióng děng měng shòu de
便吃东西。老虎、豹、熊等猛兽的

shé shang zhǎng yǒu xǔ duō ròu cì   néng jiāng liè wù gǔ tou
舌上长有许多肉刺，能将猎物骨头

shang de cán ròu tiǎn jìng   cháng jǐng lù de shé tou cháng
上的残肉舔净。长颈鹿的舌头长

        mǐ   néng jiāng gāo chù de nèn yè yì sǎo ér guāng
0.6米，能将高处的嫩叶一扫而光。

qīng wā de shé tou gēn zài hé xià   shé jiān cháo nèi   bǔ
青蛙的舌头根在颌下，舌尖朝内，捕

zhuō xiǎo chóng shí   shé tou dào tán chū lái gōu zhù liè wù
捉小虫时，舌头倒弹出来钩住猎物，

zài fān sòng jìn kǒu
再翻送进口。

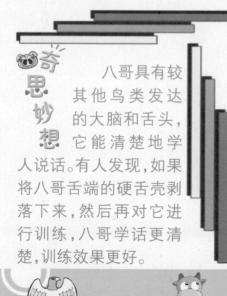

奇思妙想

八哥具有较其他鸟类发达的大脑和舌头，它能清楚地学人说话。有人发现，如果将八哥舌端的硬舌壳剥落下来，然后再对它进行训练，八哥学话更清楚，训练效果更好。

知识链接

蛇的舌头又称"信子"，舌尖分岔。蛇将舌头不停地伸出来闪动，可以嗅到2米开外的气味。啄木鸟的舌头细又长，舌尖长有倒钩，能钩出树里的虫子。

动物之间存在友谊吗

　　为了生存，动物之间的竞争是很残酷的。它们之间也是弱肉强食，同类相残的事件屡屡发生。但也有相反的情况，在共同生活中动物之间也可结下深厚的友谊，这一点你了解吗？

精心作答

友谊在动物的群体中也是存在的。当一只狼死后，它的伙伴会哀伤得好几个星期都无精打采，它们低垂着头，不想吃东西，对什么都不感兴趣。这种富有感情的举动在雁群中也存在，在象群中更是数见不鲜。

1995年12月28日在湖南的一个村子里，七头各种花色的牛相遇嬉戏，有两只黑牛斗了起来，另有小花牛、小黄牛也冲过来助战；这时一头老黄牛先用头撞撞四头牛的屁股，又用嘴去碰它们的嘴巴，四头牛罢战。可是一头黑牛还往前冲，老黄牛就横在它们中间，三头牛绕着10米的大圈左右转，经过20分钟，老黄牛调解成功。

鸟常常会救护同伴。有一只鹬鸟的腿受伤了，另一只鹬鸟便衔来湿泥、草茎，努力敷在同伴受伤的部位，好让伤腿复位固定。

图书在版编目(CIP)数据

动物/张春莹主编. —北京：朝华出版社,2005.1
（随你问）
ISBN 7-5054-1104-7

Ⅰ.动... Ⅱ.张... Ⅲ.动物学-儿童读物
Ⅳ.Q95-49

中国版本图书馆 CIP 数据核字(2004)第 131965 号

总 策 划：赵玉臣
责任编辑：张　冉
责任印刷：赵　岭
出版发行：朝华出版社
社　　址：北京市车公庄西路 35 号
邮政编码：100044
电　　话：(010)68433166(总编室)
　　　　　(010)68413840/68433213(发行部)
传　　真：(010)88415258(发行部)
印　　刷：中国人民解放军第四二一零工厂
经　　销：全国新华书店
开　　本：16
字　　数：304 千字
印　　张：104
版　　次：2005年1月第1版第1次印刷
书　　号：ISBN 7-5054-1104-7/G·0536
定　　价：158.40 元(全八册)